# *La santé au menu*

### Par Karen M. Graham
Diététiste professionnelle
Éducatrice agréée en diabète

Assistance à l'édition : Janice Madill
Photographe : Brian Gould Photography Inc.
Présentation des aliments : Judy Fowler
Traduction : Services de traduction Freynet-Gagné : Hélène Côté et Christiane Gauthier
Révision : Claire Robillard, diététiste, Diabétaide,
          Association Diabète Québec
          Caroline Gariépy, diététiste
Révision linguistique : Odette Lord

Photographie de la couverture : Tacos (page 172-173)


**Données de catalogage avant publication (Canada)**

Graham, Karen
      La santé au menu

      Traduction de : Meals for good health.
      Publié en collaboration avec : Association Diabète Québec.

      1. Diabète - Diétothérapie - Recettes.   2. Cœur - Maladies - Diétothérapie -
      Recettes.   3. Régimes hypolipidiques - Recettes.   4. Menus.   5. Cuisine santé.
      I. Association canadienne du diabète.   II Titre.

RC662.G7314  2001            641.5'631      C00-941912-8

DISTRIBUTEURS EXCLUSIFS :

• Pour le Canada
  et les États-Unis :
  **MESSAGERIES ADP***
  955, rue Amherst
  Montréal, Québec
  H2L 3K4
  Tél. : (514) 523-1182
  Télécopieur : (514) 939-0406
  * Filiale de Sogides ltée

• Pour la France et les autres pays :
  **INTER FORUM**
  Immeuble Paryseine, 3, Allée de la Seine
  94854 Ivry Cedex
  Tél. : 01 49 59 11 89/91
  Télécopieur : 01 49 59 11 96
  **Commandes :** Tél. : 02 38 32 71 00
                Télécopieur : 02 38 32 71 28

• Pour la Suisse :
  **DIFFUSION : HAVAS SERVICES SUISSE**
  Case postale 69 - 1701 Fribourg - Suisse
  Tél. : (41-26) 460-80-60
  Télécopieur : (41-26) 460-80-68
  Internet : www.havas.ch
  Email : office@havas.ch
  **DISTRIBUTION : OLF SA**
  Z.I. 3, Corminbœuf
  Case postale 1061
  CH-1701 FRIBOURG
  **Commandes :** Tél. : (41-26) 467-53-33
                Télécopieur : (41-26) 467-54-66

• Pour la Belgique et
  le Luxembourg :
  **PRESSES DE BELGIQUE S.A.**
  Boulevard de l'Europe 117
  B-1301 Wavre
  Tél. : (010) 42-03-20
  Télécopieur : (010) 41-20-24

Pour en savoir davantage sur nos publications,
visitez notre site : **www.edhomme.com**
Autres sites à visiter : www.edhomme.com • www.edtypo.com
www.edvlb.com • www.edhexagone.com • www.edutilis.com

L'Éditeur bénéficie du soutien de la Société de développement des entreprises
culturelles du Québec pour son programme d'édition.

Nous reconnaissons l'aide financière du gouvernement du Canada par l'entremise
du Programme d'aide au développement de l'industrie de l'édition (PADIÉ) pour
nos activités d'édition.

L'ouvrage original a été publié par Paper Birch Publishing
sous le titre *Meals for Good Health*

Imprimé et relié au canada par : Imprimerie Transcontinental

Dépôt légal : 1er trimestre 2001
Bibliothèque nationale du Québec

ISBN 2-7619-1588-7

# Remerciements

*La santé au menu,* version française de *Meals for Good Health,* est né d'un désir de voir cet ouvrage traduit en français et d'un souci de promouvoir la santé, désir partagé par moi-même, les Éditions de l'Homme, l'Association Diabète Québec, l'Association nationale autochtone du diabète et Santé Canada. Je tiens à remercier ces organismes de leur appui. Je remercie du fond du cœur Pierre Lespérance des Éditions de l'Homme, Marc Aras de l'Association Diabète Québec, Doris Greyeyes de l'Association nationale autochtone du diabète ainsi que Lori Keith et Maureen Thompson de Santé Canada.

La version originale de cet ouvrage est le fruit d'un rêve partagé par le Secrétariat national à l'alphabétisation, le Lions Club de Portage la Prairie et l'Association canadienne du diabète.

Je voudrais aussi exprimer toute ma reconnaissance aux personnes qui m'ont aidée à rendre ce livre clair, concis et facile à lire. Pour la version anglaise *Meals for Good Health,* merci à Janice Madill et à Joanne Godin. Pour *La santé au menu,* je remercie Carole Freynet-Gagné, Hélène Côté et Christiane Gauthier. Merci aussi aux diététistes Claire Robillard de l'Association Diabète Québec et Caroline Gariépy pour leur excellent travail et leurs suggestions de traduction tout à fait appropriées.

Je tiens également à remercier les diététistes qui ont révisé *Meals for Good Health* : le D$^r$ Diane Morris, Cynthia Abbott Hommel, Nina Kudriakowski et Kathy Younker, ainsi que Kristin Anderson et Wendy Graham du Comité national de la nutrition, mis sur pied en 1996 par l'Association canadienne du diabète. Un gros merci également aux personnes qui ont collaboré aux révisions ou qui ont apporté leur aide d'une autre façon. Parmi celles-ci, mentionnons Margaret et Leo Durand, Douglas Graham, Murray Graham, Wilma Koersen, Theresa Harper, Kathryn Hockley, Maureen Kitson, Anna Ling, France Marcoux, Linda Omichinski, Carol Pshebnicki, Moneca Sinclaire et Andrea Tschikota. Je voudrais remercier tout spécialement mes parents, Marg et Bill Graham pour leurs nombreuses révisions et leurs précieux encouragements.

On sait bien qu'une photo vaut mille mots. Merci donc à Brian Gould et à Judy Fowler pour les magnifiques photos.

Merci à Rick Durand, mon compagnon de toujours, et à nos enfants Carl et Roslyn de m'avoir permis de vivre une aventure agréable et de m'avoir accompagnée jusqu'au bout.

# Table des matières

# Un bon départ

Vous voulez perdre du poids, mais sans suivre de régime? Vous souffrez de diabète, d'hypertension ou avez un taux de cholestérol trop élevé et vous voulez savoir ce que vous devriez manger? Vous vous demandez comment avoir l'air en santé et vous sentir bien? Ces questions sont importantes. Je m'appelle Karen Graham et je suis diététiste. En 20 ans de pratique en nutrition, j'ai eu l'occasion de discuter avec plus de 4 000 personnes. La plupart de mes patients souffrent de diabète ou de maladies du cœur et bon nombre d'entre eux ont un excédent de poids. Parmi eux, on trouve des enfants, des adultes et des personnes âgées. Je conseille tous mes clients et je ne leur prescris pas de régime.

Si je vous recevais pour la première fois dans mon bureau, je vous demanderais d'abord de me dire ce que vous avez mangé au cours des derniers jours. Je calculerais ensuite combien de calories vous avez consommées chaque jour. Ce nombre risque fort de vous surprendre. En effet, nos aliments renferment beaucoup de calories.

En tenant compte du nombre de calories que vous consommez en une journée, je pourrais vous indiquer comment manger modérément. Je poserais deux assiettes sur la table. Dans la première, je placerais des aliments en plastique grandeur nature pour vous montrer la quantité que vous mangez lors d'un repas habituel. Dans la deuxième, je mettrais des aliments en plastique pour le même repas, mais j'enlèverais la viande et le beurre ou la margarine et j'y ajouterais des légumes. La deuxième assiette contiendrait les aliments que vous aimez manger, mais les portions seraient différentes et il y aurait moins de calories.

*Aux nombreux clients que j'ai rencontrés
au fil des ans, qui ont été ma source d'inspiration pendant
la préparation de ce livre.*

*Oui, vous pouvez manger les aliments que vous aimez et perdre du poids.*

*Les repas d'une catégorie contiennent tous le même nombre de calories.*

En voyant les aliments grandeur nature, vous sauriez exactement quelle quantité manger pour perdre du poids. Mais une fois chez vous, vous auriez peut-être de la difficulté à vous rappeler la taille des portions. C'est pour cette raison que j'ai pensé faire publier *La santé au menu,* livre que vous pouvez emporter chez vous et dans lequel vous trouverez des recettes et des photos grandeur nature de repas sains renfermant tous le même nombre de calories.

Grâce à ce livre, plus besoin de vous préoccuper de compter les calories ou de peser et mesurer vos portions. Vous n'avez qu'à regarder les photos aux dimensions réelles. Tous les repas de chaque catégorie contiennent le même nombre de calories. Par exemple, tous les déjeuners légers renferment 250 calories et tous les grands déjeuners en ont 370. Pour comprendre le principe, reportez-vous aux pages 47 à 49. En choisissant dans ce livre des repas équivalents, vous pourrez consommer le bon nombre de calories chaque jour.

Les renseignements nutritionnels contenus dans ce livre s'appuient sur les recommandations du *Guide alimentaire canadien pour manger sainement* ainsi que sur *Les lignes directrices* de l'Association canadienne du diabète.

**Voici les recommandations que l'on y trouve:**

- choisissez chaque jour une variété d'aliments
- mangez avec modération
- prenez vos repas à des heures régulières
- consommez moins de gras
- mangez davantage de féculents, de fruits et de légumes
- mangez plus d'aliments riches en fibres
- faites-vous plaisir en mangeant bien et en faisant de l'exercice; vous vous sentirez bien dans votre peau.

*La santé au menu* se divise en deux parties.

## Partie 1 — *Des idées pour vivre sainement*

Dans cette partie, vous trouverez des trucs pour perdre du poids progressivement et ne pas reprendre le poids perdu. Vous apprendrez à manger sainement, c'est-à-dire avec modération et en consommant moins de gras, et à faire de l'exercice. Vous trouverez également des conseils sur le diabète et les maladies du cœur.

## Partie 2 — *Repas, recettes et collations*

J'ai appris qu'il ne suffit pas d'avoir des recettes pour bien planifier ses repas. *La santé au menu* vous propose repas, recettes et collations pour chaque jour du mois. Chaque repas est accompagné de deux photographies. La première, aux dimensions réelles, montre un grand repas et la deuxième, un repas plus léger. **Vous voyez ainsi exactement les quantités que vous pouvez manger.** Les photos sont tellement appétissantes que vous aurez envie de les manger!

Perdre du poids, ce n'est pas facile et j'en suis bien consciente. Si vous suivez les conseils et les recettes présentés dans *La santé au menu*, vous perdrez lentement du poids. Lorsque vous mangerez plus sainement et que vous ferez davantage d'exercice, vous vous sentirez mieux. Si vous arrivez à perdre 1 ou 2 lb (0,5 ou 1 kg) par mois, vous serez sur la bonne voie.

*Vous êtes prêt? Allons-y!*

*La première partie de **La santé au menu** contient des idées pour manger sainement et perdre du poids.*

*La deuxième partie du livre contient des idées de repas et des recettes.*

# Idées pour vivre sainement

# Changez vos habitudes

Il vous faudra du temps pour modifier votre alimentation. Le principal changement sera de manger moins. C'est vrai que l'on grossit parce que l'on mange trop et que l'on ne fait pas assez d'exercice.

Certaines personnes me disent parfois qu'elles ne mangent pas beaucoup. Mais si on mange autant que lorsqu'on avait 10 ans de moins et qu'on prend du poids, c'est donc qu'on mange trop. Avec l'âge, on a besoin de moins manger, car le corps fonctionne plus lentement et est moins actif.

Lorsqu'on mange plus que ce dont le corps a besoin, ce surplus de nourriture se transforme en graisse. Peu importe que cet excédent soit de la viande, des biscuits ou du beurre, il deviendra de la graisse.

## *Voici quelques trucs pour vous aider à perdre du poids et à améliorer votre état de santé.*

### Buvez de l'eau

Je conseille à tout le monde de boire de l'eau. L'eau est bonne pour la santé et ne contient pas de calories. Elle aide à remplir l'estomac. C'est un élément tellement important pour perdre du poids que j'ai écrit un chapitre complet à ce sujet.

### Faites le plein de fruits et de légumes

Ils sont naturellement faibles en matières grasses et riches en fibres, en vitamines et en minéraux. Si vous en mangez davantage, vous trouverez plus facile de diminuer votre consommation de viande, de matières grasses, de desserts et d'aliments à grignoter riches en gras.

## Déjeunez le matin

Déjeunez-vous le matin? Beaucoup de gens qui viennent me consulter ne déjeunent pas. Ils disent qu'ils n'ont pas faim le matin et qu'ils ne veulent pas de calories supplémentaires. En fait, ils n'ont pas faim parce qu'ils ont pris un souper trop copieux ou ont trop grignoté la veille. Le matin, leur estomac est encore plein.

Après avoir déjeuné, même si vous avez seulement mangé un fruit ou une rôtie, vous aurez plus d'énergie. Votre corps commence à travailler et à brûler les graisses. Si vous absorbez trop de calories le soir, alors que vous bougez peu, votre corps va emmagasiner le gras.

Je vous suggère deux changements: commencez la journée par un repas léger et mangez moins le soir.

## Servez-vous d'une assiette plus petite

Voici un petit truc: servez-vous d'une assiette plus petite et votre portion vous paraîtra quand même copieuse.

## Mangez lentement

Il nous arrive tous de manger trop vite et d'avoir ensuite l'estomac gonflé. Mangez lentement et savourez chaque bouchée.

## Gardez les restes pour un autre repas

Ma grand-mère disait autrefois qu'elle avait pris du poids parce qu'elle se sentait coupable de «gaspiller de la nourriture».

## Brossez-vous les dents

Brossez-vous les dents après un repas ou une collation. Cela pourrait vous aider à avoir faim moins rapidement. Je trouve que c'est un bon moyen d'arrêter de manger le soir.

### Faites votre épicerie après avoir mangé

Si je vais à l'épicerie et que j'ai faim, je me laisse facilement tenter par les gâteaux et les friandises. J'essaie donc de faire mon épicerie après avoir mangé. J'arrive mieux ainsi à me maîtriser et à éviter les collations et les desserts à haute teneur en gras. Ça marche, essayez-le!

### Limitez les repas au restaurant

Je vous suggère de limiter les repas au restaurant. Les plats que l'on y sert ont l'air délicieux, mais ils sont souvent riches en gras et en sucre. *La santé au menu* ne vous propose que quelques repas au restaurant, et ceux-ci peuvent être tout aussi bien préparés à la maison.

### Ne vous pesez pas plus d'une fois par mois

En effet, le poids de notre corps augmente ou diminue chaque jour de 1 ou 2 lb (0,5 ou 1 kg) ; ce n'est donc pas une bonne idée de se peser tous les jours. Si vous vous pesez une fois par mois, vous allez remarquer une baisse graduelle de votre poids. Si vous perdez 1 ou 2 lb (0,5 ou 1 kg) par mois, c'est bien, parce que ce poids est vraiment perdu.

Si vous n'avez pas de pèse-personne, demandez à votre médecin, diététiste ou professionnel de la santé de vous peser au moins une fois par an.

Si vous avez un excédent de poids de plus de 40 ou 50 lb (18 ou 23 kg), il vous a probablement fallu 10 ans ou plus pour gagner ce poids. Attendez-vous à perdre du poids lentement. Pour n'importe quelle personne, la perte de 10 lb (4,5 kg) en un an est un énorme succès.

### Adonnez-vous à la marche

La marche vous aidera à vous sentir mieux et à perdre du poids.

*Essayez d'apporter ces petits changements. C'est un bon point de départ pour perdre du poids. Poursuivez votre lecture et vous en apprendrez davantage sur d'autres façons de vivre sainement, et vous pourrez les adopter quand bon vous semblera.*

# Mangez moins de gras

Pour perdre du poids et réduire le nombre de calories que vous consommez, il est important d'avoir une alimentation moins grasse. Manger moins de gras est également plus sain pour le cœur et diminue les risques de développer certains types de cancers.

Qu'est-ce que le gras? Il en existe deux sortes: les matières grasses d'origine végétale et celles qui sont d'origine animale. Bien des gens me disent qu'ils utilisent de la margarine et de l'huile 100% végétale, sans cholestérol. Ce sont des choix judicieux. Pourtant, les graisses végétales contiennent autant de calories que le beurre ou le lard, qui sont des graisses d'origine animale. Qu'il soit d'origine végétale ou animale, le gras fait grossir. Il faut donc en manger moins.

On trouve les graisses végétales dans la margarine, les shortenings et toutes les huiles végétales comme l'huile de maïs, de canola et d'olive. On en trouve également dans les vinaigrettes et la mayonnaise. Elles sont ajoutées à de nombreux aliments comme les croustilles, les craquelins et les muffins.

Les graisses animales et le cholestérol sont présents dans la viande de bœuf, de porc et de poulet, dans le poisson, la viande transformée comme le bacon et le saucisson de Bologne. On en trouve également dans les œufs, le fromage, le lait entier, la crème, le lard, le beurre et les sauces.

Bien des gens croient que le pain et les pommes de terre font grossir, alors ils en consomment moins. Mais en fait, ce qui fait grossir, c'est le gras qu'on ajoute sur le pain ou dans les pommes de terre. Manger trop de beurre, de margarine ou de sauce fait grossir, alors utilisez-en moins.

*La margarine contient environ le même nombre de calories que le beurre.*

*1 c. à thé (5 ml) de gras contient deux fois plus de calories que 1 c. à thé (5 ml) de féculent.*

# Visite à l'épicerie : la chasse aux gras cachés

**J'emmène parfois mes clients à l'épicerie.**
**Voici certains des points que nous abordons :**

- Sur les étiquettes, on trouve parfois au tableau d'information nutritionnelle la quantité de matières grasses, indiquée en grammes. Cinq grammes (5 g) de gras équivalent à 1 c. à thé (5 ml) de gras. Sur une boîte de craquelins, la grosseur des portions varie. Si une portion de trois à cinq craquelins contient 5 g de gras, en mangeant ces craquelins, c'est comme si vous mangiez une pleine cuillerée à thé (5 ml) de gras. Cela représente beaucoup de gras caché. Une portion de trois à cinq craquelins avec 2 g de gras ou moins serait un bon choix.

- Les aliments dits «légers» peuvent contenir moins de gras que les marques ordinaires. Comparez les étiquettes et achetez le produit qui contient le moins de gras. Par exemple, le chocolat chaud *léger* contient moins de gras et moins de sucre que le chocolat chaud ordinaire. Attention cependant, la mention «léger» sur un produit peut simplement vouloir dire qu'il est de couleur claire. Alors, il faut lire l'étiquette avant d'acheter.

- Les aliments *faibles en gras* sont habituellement de bons choix, car ils contiennent moins de graisses végétales et animales que les marques ordinaires. Une portion d'aliments faibles en gras doit contenir moins de 1/2 c. à thé (2,5 ml) de gras environ. Choisissez la mayonnaise, la margarine et le fromage faibles en gras.

- Les aliments à *teneur réduite en calories* sont également de bons choix, parce qu'ils contiennent moins de calories que les marques ordinaires. Ils contiennent souvent moins de gras et parfois moins de sucre.

- Une c. à soupe (15 ml) de vinaigrette *sans gras* ou *sans huile* ou encore de crème sure *sans gras* contient très peu de gras et très peu de calories. Ce sont de bons choix.

- Lorsque sur une étiquette apparaît la mention *sans cholestérol*, l'aliment est faible en cholestérol et en graisses animales (graisses saturées), mais il peut néanmoins contenir beaucoup de graisses végétales et de calories. Par exemple, les frites congelées *sans cholestérol* sont faites avec de l'huile végétale. Souvenez-vous, les graisses animales et végétales ont la même quantité élevée de calories.

*Comparez les étiquettes et choisissez les aliments qui sont :*
- *légers*
- *faibles en gras*
- *à teneur réduite en calories*
- *sans gras*

*Un aliment qui contient moins de 10 calories par portion est si peu calorique qu'il n'aura pas d'effet sur votre poids.*

- Lors de notre visite à l'épicerie, nous vérifions la quantité de gras que le lait contient et quel est le meilleur lait pour les adultes. Dans le lait entier, la moitié des calories proviennent du gras. C'est trop. Dans le lait 2 %, il y a moins de gras que dans le lait entier. Dans le lait 1 %, il reste encore un quart des calories qui viennent du gras. Le lait écrémé ne contient pas de gras, c'est donc le meilleur choix pour la plupart des adultes. Il faut peut-être un certain temps pour s'habituer au goût du lait écrémé, mais c'est une boisson rafraîchissante.

- Nous regardons aussi les viandes froides comme le salami, le saucisson de Bologne, les saucisses et le bacon. Ces viandes contiennent beaucoup de gras. Essayez d'en acheter moins et choisissez plutôt des tranches de jambon, de poulet, de dinde ou de rôti de bœuf maigres. Dans ce livre, il y a quelques repas comprenant des viandes grasses comme des saucisses, mais vous verrez que les portions sont petites.

- Finalement, nous vérifions la quantité de gras et de sucre dans les biscuits, les gâteaux et les aliments à grignoter. Il existe de nombreux biscuits faibles en gras comme les craquelins (biscuits soda), les biscottes Melba ou les galettes de riz. Vous devriez également pouvoir trouver des aliments à grignoter cuits au four sans gras ajouté, comme les croustilles de maïs. Ce sont de bons choix.

  Tous les biscuits et les gâteaux contiennent du gras et du sucre, mais les biscuits à l'arrowroot, les biscuits pour le thé et le gâteau des anges sont moins riches en gras que les autres.

  Sur certains biscuits ou tablettes de chocolat, on trouve l'indication *à teneur réduite en glucides* ou *sans sucre*. Ces aliments peuvent toutefois contenir des édulcorants comme le sorbitol, ainsi qu'une quantité élevée de gras ajouté.

- Parfois, l'étiquette n'indique pas la teneur en gras ou en sucre, mais seulement la liste des ingrédients. Les premiers ingrédients sur la liste sont toujours les principaux ingrédients. Par exemple, si sur la liste apparaît d'abord «huile végétale ou de palme», vous devez savoir que l'aliment est riche en gras. Si le premier ingrédient est le sucre, le miel ou le glucose, cela signifie que le produit contient beaucoup de sucre.

*Note :* sur une étiquette, la mention % M.G. (pourcentage de matières grasses) indique la quantité de matières grasses dans un produit comme le lait ou le fromage. Choisissez celui qui contient le plus faible pourcentage de matières grasses.

*Je suggère à mes patients, lorsqu'ils font leur épicerie, d'éviter les rayons des pâtisseries, des croustilles et des biscuits.*

# Voici d'autres trucs pour vous aider à manger moins de gras

### Ajoutez moins de gras à vos aliments

Avant d'ajouter du beurre, de la margarine, de la mayonnaise, de la crème ou de la sauce, demandez-vous si vous en avez vraiment besoin. Essayez d'en manger moins. Pour une garniture ou une tartinade, utilisez une petite quantité de produits faibles en gras ou sans gras.

### Enlevez le gras et la peau des viandes

Enlevez le gras visible de la viande et la peau du poulet, de la dinde ou du poisson avant la cuisson. En effet, le poulet et le poisson qu'on mange avec la peau sont presque aussi gras que les viandes rouges.

*Trucs pour une cuisine minceur:*

*Diminuez de moitié les quantités de gras indiquées dans les recettes de gâteaux et de muffins. Pour qu'ils demeurent moelleux, ajoutez-y un peu de lait écrémé, de yogourt ou de compote de pommes, comme dans la recette de muffins à la page 64.*

### Cuisinez sans ajouter de gras

De nombreux aliments peuvent être cuits sans gras. On peut les faire bouillir, griller, cuire à la vapeur ou au barbecue. Essayez le poisson à la vapeur, les saucisses ou le poulet grillés ou des épis de maïs au barbecue. Si vous souhaitez de temps en temps faire frire vos aliments, utilisez une poêle anti-adhésive et n'ajoutez pas de gras. Vous pouvez les faire cuire dans une poêle épaisse avec un peu d'eau ou de bouillon ou utiliser un enduit anti-adhésif en vaporisateur pour éviter que la nourriture n'adhère à la poêle.

### Mangez moins de viande, de poulet et de poisson

Maintenant que vous mangez moins de gras, il faudrait manger moins de viande, de poulet et de poisson, car même s'ils sont maigres, ces aliments contiennent des matières grasses cachées.

### Donnez du goût à vos légumes par d'autres moyens

Faites cuire légèrement les légumes pour qu'ils aient plus de goût. Plutôt que d'utiliser du beurre ou de la margarine, ajoutez-y du jus de citron et des épices. Vous pouvez également les saupoudrer d'aneth, de persil, de poivre ou d'ail.

### Mettez moins de gras dans vos sandwiches

Tartinez vos sandwiches d'un tout petit peu de salsa, de moutarde, de relish ou de mayonnaise légère.

### *Félicitations! Vous consommez maintenant beaucoup moins de gras.*

# Buvez plus d'eau

Les diététistes suggèrent de boire huit verres d'eau chaque jour, soit l'équivalent d'une bouteille de deux litres. Plusieurs personnes trouvent la majeure partie de l'eau qu'elles consomment chaque jour dans le café, le thé, les jus ou les boissons gazeuses. Mais notre corps n'a pas besoin de la caféine ou du sucre contenus dans ces boissons. Vous pouvez continuer à boire du café, du thé ou des boissons gazeuses *diète,* mais buvez aussi beaucoup d'eau. C'est le meilleur choix sans calories.

Il faut prendre l'habitude de boire régulièrement de l'eau. L'eau favorise la régularité intestinale et étanche la soif quand on fait de l'exercice.

Voici quelques trucs pour vous aider à boire de l'eau.

*Buvez huit verres d'eau par jour.*

## Pour ne rien oublier

Souvent, on oublie tout simplement de boire. Si vous aimez l'eau fraîche, conservez une bouteille ou une carafe d'eau dans votre réfrigérateur. Gardez un verre sur la table. Lorsque vous verrez la carafe ou le verre, vous penserez à boire.

## Buvez le matin

Nous avons naturellement soif au réveil. Buvez dès que vous vous levez.

## Buvez de l'eau lors des repas

Prenez l'habitude de prendre un verre d'eau ou plus lors de vos repas ou collations. Ajoutez-y une tranche de citron pour lui donner un goût rafraîchissant.

## Buvez de l'eau chaque fois que vous avez faim

L'eau remplit l'estomac et vous donne l'impression d'être rassasié, donc vous mangez moins.

**L'eau est source de vie. Vivifiez votre corps!**

# Mangez plus de féculents

Les féculents constituent l'alimentation de base de la plupart des êtres humains. Le blé, l'avoine, le maïs, le riz, les pommes de terre, les lentilles, les haricots et le manioc en sont de bons exemples. On trouve ces produits dans les céréales pour le déjeuner ou dans la farine servant à faire du pain, des pitas, des tortillas, des pâtes alimentaires, du pain bannock et des chapatis.

Les féculents donnent de l'énergie, tout en étant faibles en gras et bon marché. Ils sont nourrissants et apportent vitamines et minéraux à notre alimentation.

*Les céréales et autres féculents:*
- *vous donnent de l'énergie*
- *sont faibles en gras*
- *sont nourrissants*
- *contiennent des fibres*
- *contiennent des vitamines et des minéraux*

Bon nombre de féculents, comme le pain de blé entier ou le pain de seigle, ont également une forte teneur en fibres. Les fibres sont un laxatif naturel. Dans la farine blanche, par contre, une grande partie des fibres a été enlevée.

L'alimentation des Nord-Américains a changé depuis un siècle. Nous mangeons aujourd'hui moins de féculents et plus de viande et d'aliments transformés auxquels on a ajouté des matières grasses, du sucre et du sel. Nous souffrons de maladies qui sont directement liées à notre alimentation trop riche en gras, comme le diabète, les maladies du cœur et le cancer.

*Mangez des féculents à chaque repas.*

Pour maigrir, il faut manger moins gras, donc moins de viande et moins de gras ajouté. Il faut commencer à garnir notre assiette de plus de féculents et de légumes.

Vous verrez que tous les repas qui figurent dans *La santé au menu* contiennent des céréales ou autres féculents, avec peu ou pas de gras ajouté.

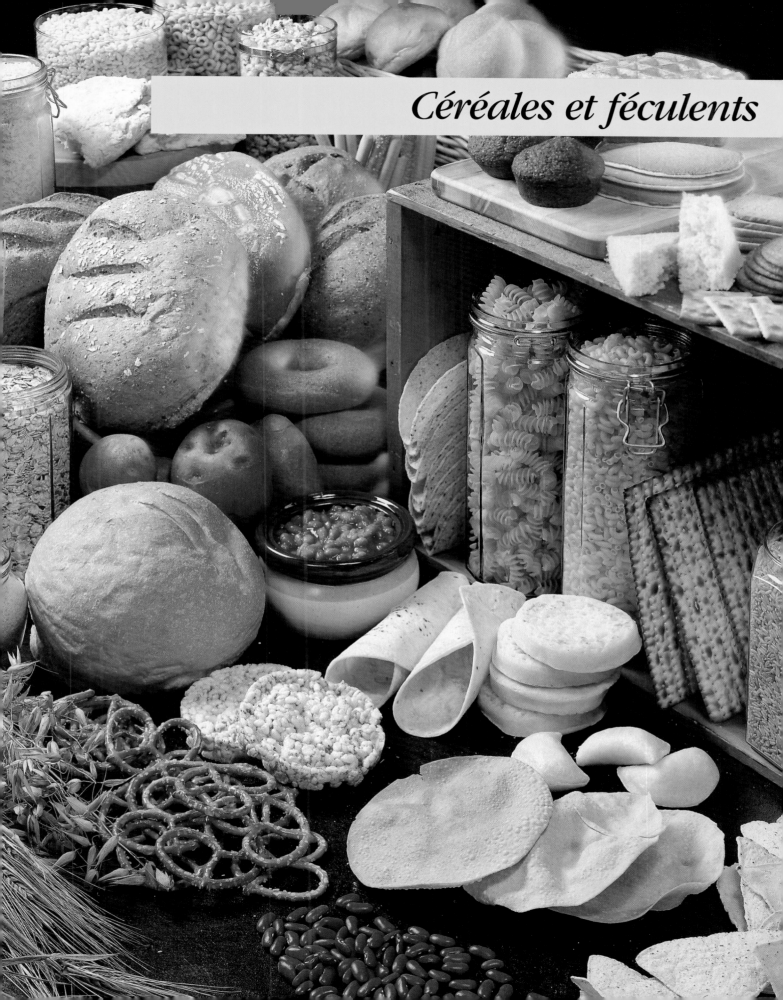

# Faites le plein de fruits et de légumes

*Les fruits et légumes sont faibles en gras et contiennent beaucoup de vitamines et de minéraux.*

Les fruits et les légumes vous donnent de l'énergie et sont faibles en gras. Tout comme les produits céréaliers, ils vous fournissent des vitamines, des minéraux et des fibres. De plus, ils aident à prévenir certains types de cancer.

Les fruits et les légumes frais ou congelés sont le meilleur choix. Vérifiez les étiquettes et choisissez les légumes congelés qui n'ont pas de sel, de matières grasses ni de sucre ajoutés.

Les fruits en conserve dans de l'eau ou du jus sont meilleurs que les fruits dans le sirop. Égouttez le jus. Les légumes en conserve contiennent habituellement du sel et parfois du sucre ajouté. Mangez-en moins souvent.

*Les fruits frais sont meilleurs que les jus de fruits. Si vous avez soif, buvez de l'eau plutôt que du jus de fruits.*

Vous serez peut-être surpris d'apprendre que les jus de fruits «sans sucre» contiennent du sucre. Une tasse (250 ml) de jus de pomme, d'orange ou de pamplemousse sans sucre ajouté contient de 6 à 7 c. à thé (30 à 35 ml) de sucre naturel. Le jus de raisin et le jus de pruneaux contiennent presque 10 c. à thé (50 ml) de sucre par tasse. Puisque le jus de fruits contient moins de fibres et n'est pas aussi nourrissant que les fruits frais, il est facile d'en boire trop. Si vous buvez beaucoup de jus, il vous sera difficile de perdre du poids.

Les jus de légumes comme le jus de tomate contiennent moins de sucre que les jus de fruits. C'est pourquoi *La santé au menu* vous recommande d'en prendre un petit verre dans plusieurs de ses repas. Si vous avez soif, buvez de l'eau plutôt que du jus.

Les fruits secs contiennent plus de sucre que les fruits frais, car ils sont déshydratés. Par exemple, 2 c. à thé (10 ml) de raisins secs contiennent 4 c. à thé (20 ml) de sucre, soit à peu près la même quantité que dans ½ tasse (125 ml) de raisins.

La plupart des repas proposés dans *La santé au menu* comportent au moins deux types de légumes. C'est peut-être davantage que ce que vous avez l'habitude de manger. C'est un grand changement. La plupart des déjeuners et des desserts de cet ouvrage contiennent des fruits.

Entre les repas, il vaut mieux manger un légume ou un fruit que grignoter des aliments riches en gras ou manger un dessert. Les féculents faibles en gras font également de bonnes collations.

# Choisissez des produits laitiers et des aliments riches en calcium

*O*n trouve du calcium dans le lait et les produits laitiers.

*L*e calcium est aussi important pour les adultes que pour les enfants.

Le calcium est un minéral qui renforce les os et les dents. On le trouve dans le lait et les produits laitiers comme le yogourt et le fromage ainsi que dans les haricots secs et quelques légumes.

Les nourrissons et les enfants ont besoin de beaucoup de calcium pendant leur croissance pour fortifier leurs os et leurs dents. Bien des gens pensent que seuls les enfants doivent consommer du lait et des produits laitiers. Toutefois, nous avons besoin de calcium pendant toute notre vie afin de conserver nos os en santé.

Le lait vous donne mal à l'estomac? C'est peut-être que vous ne digérez pas le sucre naturel (lactose) contenu dans le lait. Il se peut que vous ne puissiez consommer que de petites quantités de lait ou de produits faits avec du lait, comme le yogourt ou le fromage. Vous pouvez aussi boire du lait écrémé à teneur réduite en lactose que l'on trouve dans les supermarchés.

**Vous pouvez également obtenir votre apport quotidien de calcium dans d'autres aliments, tels que :**
- le tofu avec supplément de calcium
- les boissons au soya avec supplément de calcium
- les boissons laitières enrichies de calcium
- les haricots, comme dans les « fèves au lard »
- les graines et les noix, comme les amandes et les graines de sésame
- les arêtes de poisson, comme dans le saumon en conserve
- les légumes vert foncé et les légumes en feuilles, comme le brocoli, les choux de Bruxelles, l'okra, le chou frisé et le chou de Chine
- quelques fruits comme les figues séchées et les oranges

**Choisissez des produits riches en calcium et faibles en gras, tels que :**
- le lait et le yogourt (écrémés ou 1 %), ainsi que le fromage ayant moins de 20 % de matières grasses
- le lait écrémé en poudre
- le saumon en conserve dans l'eau (pas dans l'huile)
- le lait de soya faible en gras
- les légumes vert foncé, les légumes en feuilles et les haricots, qui sont naturellement faibles en gras

Les graines, les noix et le tofu contiennent du gras d'origine végétale; on peut en consommer selon les quantités indiquées dans *La santé au menu*.

La plupart des repas proposés dans *La santé au menu* comportent au moins un aliment riche en calcium.

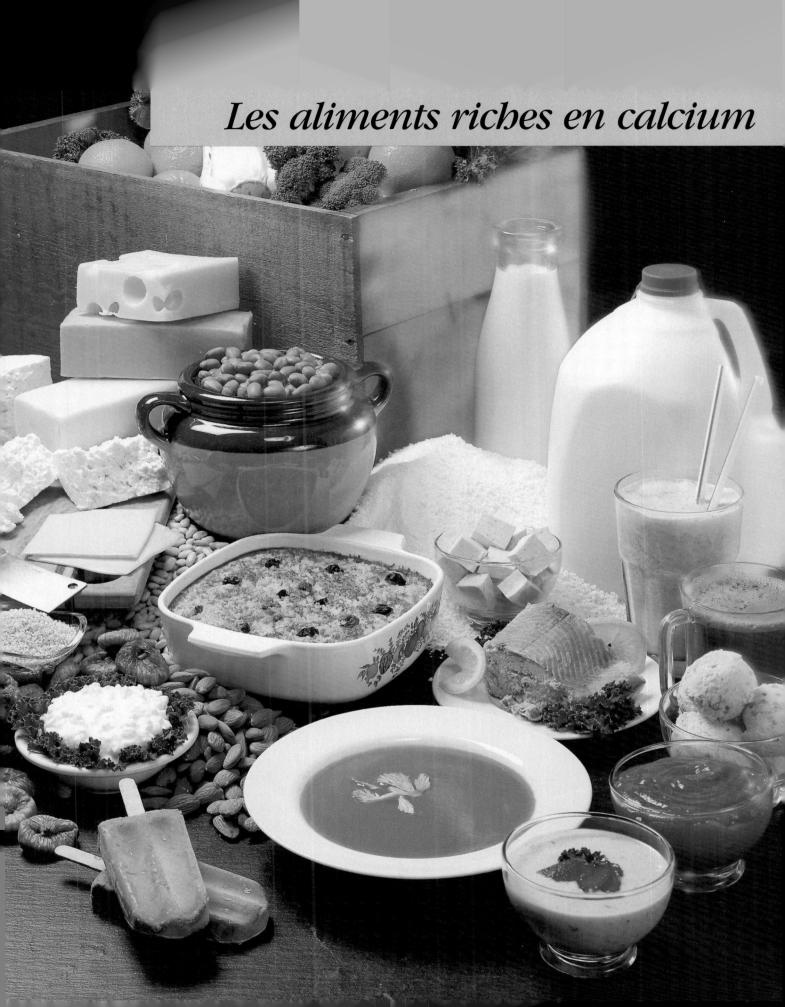

Les aliments riches en calcium

# Consommez la bonne quantité de protéines

*Vous n'avez besoin que d'une petite quantité de protéines chaque jour.*

Pour être en bonne santé, il est important de manger des protéines. Toutefois, nous n'avons besoin que d'une petite quantité de protéines chaque jour. Dans les photos de repas de *La santé au menu,* on voit quelle quantité de protéines il faut consommer.

On trouve des protéines dans les aliments d'origine animale comme la viande, les œufs et le lait. Il y en a également dans les noix, les graines et bien des légumes et des céréales. Les repas présentés dans ce livre en contiennent une variété.

### Les protéines végétales

Les haricots blancs, les haricots rouges, les pois chiches et les pois secs contiennent des protéines végétales faibles en gras. Le tofu est fabriqué avec des fèves soya et peut remplacer la viande. On trouve des protéines végétales en petite quantité dans le pain de blé entier et le gruau.

Les noix, dont les arachides et le beurre d'arachide, et les graines, telles que les graines de tournesol, contiennent des protéines végétales à forte teneur en gras. On peut quand même en manger, mais en quantité raisonnable.

### Les protéines animales

La viande rouge maigre est un bon choix pour obtenir des protéines animales faibles en gras: viande hachée maigre, rôti de ronde ou steaks, côtelettes de longe de porc, chevreuil et lapin. Le poulet et la dinde sont de bonnes sources de protéines, mais n'oubliez pas d'enlever la peau.

Les œufs sont aussi une bonne source de protéines. Saviez-vous que même avec un taux de cholestérol élevé, vous pouvez manger sans problème trois œufs par semaine? Pour réduire votre taux de cholestérol, il existe d'autres moyens (voir page 39).

La plupart des poissons sans peau contiennent moins de gras que la viande rouge. Les poissons maigres sont le brochet, le doré, le sébaste, le vivaneau, la morue, l'aiglefin et la sole. Le thon, le saumon rose et les sardines en conserve dans l'eau sont aussi de bons choix. Les crevettes et le homard sont également faibles en gras. Le tassergal est moyennement riche en gras. Les poissons plus gras sont la truite et le saumon rouge. Consommez-les en plus petites quantités.

*Les viandes et autres protéines*

# Les fibres alimentaires : un bon choix

**On trouve des fibres dans :**
- *les féculents*
- *les légumes*
- *les fruits*

Voici des moyens naturels de favoriser la régularité intestinale : il faut manger des aliments à haute teneur en fibres, boire beaucoup d'eau et faire de l'exercice. Les fibres sont également importantes si vous avez le diabète ou une maladie de cœur, et pour aider à prévenir certains types de cancers.

Je demande parfois à mes clients s'ils sont souvent constipés. Il s'agit d'une question personnelle, mais qui en dit long sur l'alimentation d'un individu. Le fait d'aller régulièrement à la selle dépend beaucoup de ce que l'on mange. Habituellement, les personnes qui consomment beaucoup de féculents à haute teneur en fibres, de fruits et de légumes ne sont pas constipées.

**Vos fonctions intestinales peuvent être régulières sans l'utilisation de laxatifs.**

Si vous souffrez parfois de constipation, sachez que vous n'avez pas besoin de laxatifs. Mais si vous en prenez souvent ou depuis longtemps, vous avez peut-être les intestins paresseux.

Commencez par manger plus d'aliments riches en fibres. Intégrez-les progressivement à votre alimentation pour ne pas avoir de crampes d'estomac ni de gaz. Buvez beaucoup d'eau. Faites de la marche. Les muscles intestinaux vont se renforcer et recommencer à travailler normalement. À mesure que vous apportez ces changements au cours des prochains mois, il est probable que nous n'aurez plus besoin de laxatifs.

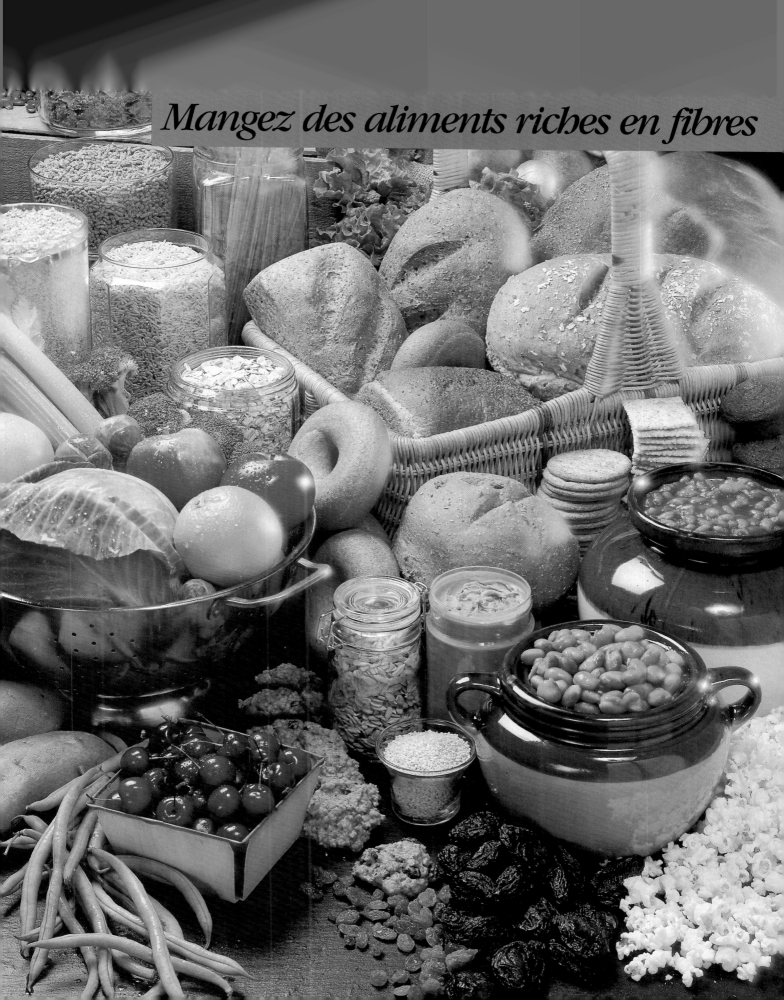

*Mangez des aliments riches en fibres*

# Pour obtenir les minéraux et vitamines dont vous avez besoin

*Achetez des aliments nutritifs plutôt que des vitamines et des minéraux en pilules.*

Tous les aliments contiennent des vitamines et des minéraux et parfois, il y en a d'ajoutés à plusieurs aliments comme le pain, les céréales et le lait. En mangeant des aliments sains et variés, tel que démontré dans ce livre, vous fournirez à votre corps tous les minéraux et vitamines dont il a besoin. Ces aliments vous permettront de rester en bonne santé et de réduire les risques de maladie.

Pour rester en bonne santé, il suffit d'un tout petit peu de vitamines et de minéraux. Par exemple, on a besoin de 70 à 90 mg de vitamine C chaque jour, ce que renferme une grosse orange. Si vous prenez en plus une pilule de 1 000 mg (soit 1 g) de vitamine C chaque jour, les reins doivent travailler davantage pour éliminer la vitamine C en trop.

Notre corps est bien fait : il emmagasine les vitamines et les minéraux dont nous avons besoin. Par exemple, les vitamines A, D et E ainsi que le fer sont emmagasinés dans la graisse du corps et dans le foie. Si vous prenez des vitamines et des minéraux sous forme de pilule, votre corps en aura trop.

Vous n'avez pas besoin de prendre de vitamines ou de minéraux en pilules, à moins que ce ne soit sur ordonnance du médecin ou de votre diététiste. Dans ce cas, demandez à votre médecin pourquoi il vous en prescrit et pendant combien de temps vous devrez les prendre.

# Consommez moins de sucre, de sel et d'alcool

## *Réduisez votre consommation de sucre*

On trouve le sucre à l'état naturel dans les fruits, les légumes et même le lait. Le sucre procure de l'énergie. L'amidon contenu dans le pain et les céréales se transforme en sucre pendant la digestion. Ces aliments contiennent aussi bien d'autres éléments nutritifs. Ces produits sont bons pour vous, à condition de respecter les quantités indiquées dans *La santé au menu*.

Il faut limiter notre consommation de sucre concentré comme le sucre blanc, la cassonade, le sucre à glacer, le sirop de maïs, le sirop d'érable, la mélasse et le miel. Tous ces sucres se valent et nous apportent des «calories vides»; ils sont très peu nutritifs.

Du sucre a été ajouté à la plupart des aliments transformés. En fait, il est difficile de trouver un produit sans sucre. Si le sucre apparaît en premier sur l'étiquette, il s'agit du principal ingrédient du produit en question. Essayez de consommer moins d'aliments qui contiennent beaucoup de sucre.

### Les édulcorants hypocaloriques

Pour remplacer le sucre dans votre café, votre thé ou vos céréales, peut-être voudriez-vous essayer un édulcorant hypocalorique. Voici certaines des marques les plus répandues: Égal (NutraSuc), Splenda, Sugar Twin et Sweet N' Low. Les édulcorants hypocaloriques contiennent beaucoup moins de sucre et de calories que le sucre ordinaire. Ainsi, trois ou quatre sachets par jour ne devraient pas avoir d'incidence sur votre poids ou sur votre taux de sucre sanguin. On trouve des édulcorants hypocaloriques dans les boissons gazeuses diététiques, les poudings légers, la gélatine légère et la gomme sans sucre.

Une c. à thé (5 ml) de sucre a le même pouvoir sucrant que 1 c. à thé (5 ml) de Splenda ou que ½ c. à thé (2 ml) de Sugar Twin ou de Sweet N'Low. Si vous trouvez ces édulcorants trop sucrés, utilisez-en moins.

*La quantité de sucre varie selon les céréales.*

*Les flocons de son (Bran Flakes) contiennent peu de sucre ajouté 1 c. à thé (5 ml) ou 4 g dans ¾ tasse (175 ml).*

*Les flocons de maïs givrés (Frosted Flakes) contiennent davantage de sucre — 3 c. à thé (15 ml) ou 12 g dans ¾ tasse (175 ml) de céréales.*

*Le sorbitol et le fructose ne sont pas des édulcorants hypocaloriques.*

### Quelques trucs pour cuisiner avec moins de sucre :

*Lorsque vous préparez des muffins, des biscuits ou des gâteaux, diminuez de moitié la quantité de sucre. Une quantité réduite de sucre n'empêchera pas le mélange de bien lever. Si vous croyez que le goût n'est pas assez sucré, vous pouvez ajouter un édulcorant hypocalorique comme le Splenda ou le Sugar Twin. Les édulcorants contenant du NutraSuc (aspartame) comme Égal ne conviennent pas, car ils perdent leur pouvoir sucrant à la cuisson.*

Sur les étiquettes de certains aliments, on trouve parfois les mentions suivantes: saccharose, fructose, sorbitol et mannitol. Le saccharose et le fructose sont des sucres qui renferment beaucoup de calories. Le sorbitol et le mannitol sont des édulcorants qui contiennent un peu moins de calories que le sucre et augmentent plus lentement et de façon moins importante le taux de sucre dans le sang.

Souvenez-vous de notre visite à l'épicerie: certains biscuits, bonbons et chocolats contenant du sorbitol ou du mannitol sont riches en gras et peuvent avoir un effet sur votre poids et le taux de sucre dans votre sang. Ces aliments renferment souvent beaucoup de calories. En fait, on peut y trouver le même nombre de calories que dans les biscuits, les bonbons ou les chocolats ordinaires. Limitez-en votre consommation.

Les boissons peuvent contenir beaucoup de sucre. Mentionnons notamment le lait au chocolat, le lait frappé, les boissons aux fruits, les boissons aux fruits en cristaux, les jus de fruits et les boissons gazeuses ordinaires. Une tasse (250 ml) de jus de fruits non sucré ou 1 tasse (250 ml) de boisson gazeuse ordinaire contient environ 7 c. à thé (35 ml) de sucre. Buvez plutôt de l'eau ou des boissons gazeuses diététiques.

Dans certaines recettes de desserts proposées dans *La santé au menu*, on a utilisé du sucre pour remplacer le gras, car il compte moins de calories. On a aussi prévu de petites quantités de confiture ou de sirop dans certains déjeuners pour remplacer la margarine. Le sucre en petite quantité fait partie d'une alimentation saine, même pour les diabétiques (voir les pages 39 à 41 pour en savoir davantage sur le diabète).

En mangeant des aliments faibles en gras et moins d'aliments transformés, vous diminuez votre consommation de gras et de sucre.

### Vous êtes maintenant en mesure de perdre du poids.

# Réduisez votre consommation de sel

Le sel nous apporte un important minéral, le sodium, qui est présent naturellement dans les aliments. Vous avez seulement besoin d'une petite quantité de sodium pour être en bonne santé.

Malheureusement, la plupart d'entre nous consommons trop de sodium. Nous mangeons des aliments transformés qui sont salés et nous rajoutons du sel à nos plats. Cette quantité supplémentaire de sel fait travailler davantage nos reins.

Tout le monde devrait consommer moins de sel. Ce simple changement peut vous aider à réduire votre tension artérielle si elle est élevée. Mais pour certaines personnes qui font de l'hypertension, d'autres changements peuvent être utiles, comme perdre du poids, faire de l'exercice et arrêter de fumer (voir page 39).

Ne mettez qu'une petite pincée de sel sur vos aliments; dans vos recettes, n'en ajoutez qu'un tout petit peu ou pas du tout et mangez moins d'aliments salés.

**Trucs pour diminuer votre consommation de sel:**
- Assaisonnez vos plats, pendant la cuisson ou à table, d'épices et d'herbes, de jus de citron, de jus de lime ou de vinaigre. Ajoutez du poivre plutôt que du sel.
- Servez-vous de la poudre d'ail ou d'oignon, plutôt que de sel d'ail ou d'oignon.
- Mettez moins de sel lorsque vous cuisinez. Pour de nombreuses recettes, cela n'est pas nécessaire.
- Recherchez les aliments peu ou non salés comme les craquelins (biscuits soda) non saupoudrés de sel.
- Évitez les repas au restaurant, à emporter ou pris sur place. Ils contiennent beaucoup de sel et de gras.

*Vous n'avez besoin que d'une petite quantité de sel.*

*On ajoute du sel à de nombreux aliments.*

*Une fois que vous aurez réduit votre consommation de sel, vous vous apercevrez que beaucoup d'aliments auront un goût trop salé.*

### Le sel dans les recettes *La santé au menu* :

- Il n'est pas nécessaire d'ajouter du sel aux recettes, sauf s'il en faut pour faire lever le mélange ou en assurer la qualité.
- Pour relever le goût de certains plats, nous avons utilisé du bouillon en poudre ou un mélange à soupe déshydraté. Ces deux produits sont salés. Si vous voulez consommer encore moins de sel, mettez une plus petite quantité de bouillon en poudre ou de mélange à soupe et rajoutez des épices et des herbes. On trouve également du bouillon en poudre à faible teneur en sel.

### Le sel dans les repas *La santé au menu* :

- Les repas proposés dans ce livre vous aideront à consommer moins de sel.
- On y trouve certains aliments salés comme des cornichons à l'aneth, de la choucroute et des saucisses. Ces aliments, dans les portions indiquées, font partie d'une alimentation saine. Pour consommer moins de sel, prenez des concombres en tranches plutôt que des cornichons à l'aneth, du chou plutôt que de la choucroute et du bœuf ou du porc non salé plutôt que des saucisses.

## Réduisez votre consommation d'alcool

Si vous voulez perdre du poids, vous devez faire attention à tout ce que vous mangez et buvez, même à l'alcool. **L'alcool contient beaucoup de calories** et, tout comme pour le sucre, il s'agit de «calories vides». Dans ce livre, on suggère parfois un verre de vin facultatif pour accompagner un repas. Sur certaines photos de collations, on peut voir une bière légère ou un verre de whisky, à prendre à l'occasion seulement.

Les calories des spiritueux comme le whisky proviennent seulement de l'alcool. Les trois quarts des calories de la bière proviennent de l'alcool et le reste, principalement du sucre. Dans les liqueurs, un peu plus de la moitié des calories proviennent de l'alcool et le reste, du sucre.

*Une bière ou 2 oz (60 ml) de spiritueux comme le whisky ou le rhum contiennent le même nombre de calories que 2 tranches de pain.*

*Dans 6 bières, il y a 900 calories. C'est beaucoup. Six boissons gazeuses diététiques contiennent seulement 20 calories.*

## Pour réduire les calories provenant des boissons alcoolisées :

- Prenez moins de bière, de vin, d'alcool et de spiritueux. Buvez plutôt de l'eau, des boissons gazeuses diététiques, de la bière légère sans alcool, du café ou du thé.
- Choisissez de la bière légère, car elle contient moins de calories et d'alcool que la bière ordinaire.
- Plutôt que de boire une bière au complet, prenez-en la moitié et mélangez-la avec du soda au gingembre diététique.
- La plupart des bières ou vins sans alcool contiennent du sucre (moins tout de même que dans les boissons gazeuses), mais c'est un meilleur choix que la bière alcoolisée.
- Si vous prenez un verre de vin, choisissez un vin sec, plutôt qu'un vin sucré.
- Évitez les liqueurs qui contiennent beaucoup d'alcool et de sucre.
- Si vous souhaitez prendre un verre de spiritueux, ajoutez-y de l'eau ou une boisson gazeuse diététique plutôt que du jus ou une boisson gazeuse ordinaire.
- Buvez de l'eau plutôt que de l'alcool avant et pendant les repas. L'alcool augmente souvent l'appétit.

L'alcool, c'est plus qu'une source de calories, c'est une drogue qui peut créer une dépendance. Si vous buvez beaucoup d'alcool, vous n'aurez pas seulement des problèmes de poids, il vous sera difficile d'apporter d'autres changements dans votre vie.

Il est parfois difficile de boire moins d'alcool. N'ayez pas peur de demander de l'aide.

### *Pensez à modifier vos habitudes.*

---

*Mise en garde :*
- *Il est déconseillé de prendre de l'alcool avec certains médicaments. Vérifiez l'étiquette de vos médicaments pour savoir si vous pouvez boire de l'alcool.*
- *Si vous êtes diabétique et que vous prenez de l'insuline ou d'autres médicaments, l'alcool peut provoquer une baisse du taux de sucre dans le sang. Pour éviter ce problème, ne buvez pas d'alcool ou prenez-en juste un verre ou deux; surtout, ne buvez jamais d'alcool sans avoir mangé.*

# Faites de la marche

*Il faut faire de l'exercice régulièrement pour perdre du poids.*

*La marche est le meilleur exercice pour la plupart des gens.*

*Vous verrez que l'exercice donne de l'énergie.*

Les trois principes que vous apprendrez dans ce livre sont de manger des portions plus petites, de manger moins de gras et de faire de l'exercice. Il ne faut pas se faire d'illusion : on ne peut perdre du poids si l'on ne fait pas d'exercice.

La marche est l'une des meilleures formes d'exercice. Vous pouvez marcher au moment qui vous convient et choisir votre trajet. Commencez lentement, puis essayez chaque semaine d'aller un peu plus vite, un peu plus loin.

La plupart de mes clients pensent être actifs. Mais il y a une différence entre être actif (ou occupé) et faire de l'exercice. Comparons notre mode de vie aujourd'hui à celui de nos grands-parents. Autrefois, les gens allaient à pied au travail, à l'épicerie, au bureau de poste, à l'école, à l'église et aux danses. Le travail à la maison et à la ferme était difficile physiquement. Aujourd'hui, on ne marche pas assez. On reste assis ou debout pendant des heures, à la maison ou au travail ; pas étonnant que l'on soit en mauvaise santé.

Vous êtes trop fatigué pour sortir marcher ? Il arrive que la fatigue soit due à une faiblesse des muscles. Si vous avez de l'embonpoint vous pouvez même ressentir de la douleur en marchant. Cela peut paraître étrange, mais le seul moyen de trouver l'énergie pour marcher, c'est de sortir se promener. Une fois que vous serez en meilleure forme, vous verrez que la marche donne de l'énergie.

Vous êtes trop occupé pour trouver le temps de marcher ? Quelques changements suffisent. Pensez d'abord au nombre de fois où vous sortez de la maison, par exemple, pour démarrer votre auto, vous rendre à l'arrêt d'autobus ou aller chercher le courrier. Une fois dehors, prenez 20 minutes de plus pour aller marcher. C'est important pour être en bonne santé. Habituellement, on trouve le temps de faire ce qui nous semble important.

La marche peut vous aider à perdre du poids. Elle peut aussi vous aider à vous sentir mieux dans votre peau et vous donner un air de santé. La marche renforce les os et les muscles, et elle facilite la respiration. Souvent, la marche réduit les maux de dos et les douleurs articulaires. Elle aide à réduire le stress et à bien dormir la nuit.

Si vous êtes diabétique, la marche vous aidera à contrôler votre taux de sucre sanguin. Si votre taux de cholestérol est élevé, la marche vous aidera à l'abaisser. Il en est de même pour la tension artérielle.

Lorsque je reçois des patients deux mois après qu'ils ont commencé à faire de la marche, ils disent se sentir mieux. Bien souvent, ils ont perdu du poids. Ils sont alors prêts à marcher plus longtemps, car ils sont plus en forme de jour en jour.

Il faut parfois plusieurs mois avant d'être un marcheur régulier. Plus vous marcherez et mieux vous vous sentirez.

### Posez ce livre et allez marcher.

> *La marche vous aidera à perdre du poids, mais elle vous apportera aussi d'autres bienfaits.*

37

# Des trucs qui marchent!

## D'abord, marchez de plus en plus chaque jour

Lorsque vous allez à l'épicerie, stationnez-vous le plus loin possible et marchez jusqu'à l'entrée. Quand vous prenez l'autobus, descendez à l'arrêt qui précède le vôtre, et marchez le reste du parcours.

Monter et descendre les escaliers est un très bon exercice. Commencez par les descendre.

Il est important de porter des chaussures ou des bottes confortables.

## Ensuite, marchez régulièrement

*Chaque fois que vous allez marcher, inscrivez-le sur votre calendrier.*

Essayez d'aller marcher deux fois par semaine. Prenez la bonne habitude de sortir tous les jours à la même heure. Amenez votre chien, il sera content. Il vaut mieux sortir marcher que de perdre son temps devant la télévision.

Faites une marque bien visible sur le calendrier les jours où vous allez marcher. Vous avez de quoi être fier!

## Ensuite, augmentez la distance parcourue. Marchez plus souvent, plus vite et en faisant balancer vos bras.

*Peut-être voudrez-vous essayer de faire de la natation, de la bicyclette ou d'autres sports.*

Plus vous marcherez vite et plus vous perdrez de poids.

Maintenant que vous avez pris l'habitude de marcher, vous allez peut-être vouloir faire de la natation, du vélo ou de la danse. Un vélo d'exercice ou un tapis roulant peuvent être bien utiles durant les longs mois d'hiver. Commencez à pratiquer d'autres sports et activités.

*Pour marcher, il faut du temps, mais cela permet de rester en bonne santé. Profitez-en!*

# Conseils aux personnes souffrant de diabète ou de problèmes cardiaques

Si vous êtes diabétique ou si avez des problèmes cardiaques comme un taux élevé de cholestérol sanguin ou de triglycérides (gras dans le sang), ou une tension artérielle élevée, les repas présentés dans *La santé au menu* vous seront utiles.

Pour ceux d'entre vous qui souffrent de diabète ou de problèmes cardiaques, les conseils sont semblables à ceux que l'on donne aux autres. Il faut:
- perdre du poids, si vous avez de l'embonpoint
- consommer moins de gras, de sel, de sucre et d'alcool
- manger plus de féculents, de fruits, de légumes et de fibres alimentaires
- ne pas fumer
- faire de l'exercice
- apprendre à se détendre
- prendre les médicaments et/ou l'insuline prescrits par le médecin
- consulter régulièrement un médecin

*Les conseils alimentaires de la Fondation des maladies du cœur du Canada et de l'Association canadienne du diabète sont semblables à ceux que vous trouverez dans **La santé au menu**.*

## Si vous avez des problèmes cardiaques:

Si votre tension artérielle est trop élevée, un médecin ou un diététiste peut vous conseiller de consommer moins de sel. Comme diététiste, je sais que le sel n'est pas seul responsable de l'hypertension. Pour faire baisser la tension artérielle, il est aussi important d'apporter les changements énumérés ci-dessus. Il en est de même pour le taux de cholestérol sanguin.

Souvent, un taux élevé de triglycérides (gras dans le sang) est dû à une augmentation du taux de sucre dans le sang, car l'excédent de sucre se transforme en gras. Il peut aussi être dû à une consommation excessive d'alcool, car l'alcool peut aussi se transformer en gras dans le sang. Si vous avez trop de triglycérides, vous devriez prendre des mesures pour réduire votre sucre sanguin et limiter ou arrêter la consommation d'alcool.

## Si vous êtes diabétique :

*Il est important de manger moins de gras si vous êtes diabétique ou si vous avez des problèmes cardiaques.*

Si vous êtes diabétique, l'excès de gras peut être un plus grand problème que l'excès de sucre. Si vous avez de l'embonpoint et que vous perdez du poids, l'action de l'insuline sur votre métabolisme sera améliorée, et votre taux de sucre sanguin s'améliorera, lui aussi. La marche ou toute autre forme d'exercice aura le même effet.

En tant que diabétique, vous êtes sujet aux problèmes cardiaques. Mangez moins gras et faites de la marche, c'est bon pour le cœur. Pour le diabète et les problèmes cardiaques, on donne plus ou moins les mêmes conseils : mangez moins gras, perdez du poids et faites de l'exercice.

Il est aussi important de prendre des repas légers à des heures régulières, comme il est démontré dans cet ouvrage, plutôt qu'un seul grand repas par jour. Cela aide à mieux répartir l'apport de nourriture et de sucre dans la journée et à contrôler le taux de sucre sanguin.

*Une personne diabétique peut manger de petites quantités de sucre.*

Les conseils de l'Association canadienne du diabète ont changé au cours des dernières années. En effet, l'Association a créé un nouveau groupe alimentaire : les sucres. On sait maintenant que les diabétiques peuvent manger de petites quantités de sucre sous forme de sucre ordinaire ou de bonbons. Évidemment, si vous consommez une grande quantité d'aliments sucrés, votre taux de sucre sanguin augmentera de beaucoup et rapidement.

Vous pouvez suivre le guide des repas *La santé au menu* en toute sécurité, même si vous prenez de l'insuline ou des médicaments pour le diabète, car la quantité de glucides (amidon et sucre) dans chaque repas est raisonnable. Cette quantité peut varier quelque peu d'un repas et d'une collation à l'autre, bien que le nombre de calories soit le même. Vous pouvez consulter le site Web de l'Association Diabète Québec (www.diabete.qc.ca) pour connaître les échanges de féculents contenus dans chaque repas ou collation.

*La quantité totale de glucides varie selon les repas ; la différence peut être équivalente à deux échanges de féculents (soit environ deux tranches de pain). Consultez votre diététiste ou le site Web de l'Association Diabète Québec (www.diabete.qc.ca) pour connaître les échanges fournis par chaque repas ou collation.*

**Si vous prenez des médicaments pour le diabète, de l'insuline, des médicaments pour le cœur ou pour l'hypertension, lisez ce qui suit :**

- Si vous modifiez vos habitudes (par exemple, manger moins ou faire plus d'exercice), vous n'aurez peut-être pas besoin d'autant de médicaments ou d'insuline. Si vous avez des faiblesses, des tremblements ou des étourdissements en faisant de l'exercice, avant les repas ou en sortant du lit, vos médicaments sont peut-être trop forts. Consultez votre médecin si vous ne vous sentez pas bien. Ne changez pas vos médicaments ou votre insuline sans en avoir parlé à votre médecin.

- Demandez à votre médecin ou à votre pharmacien ce qui pourrait arriver si vous consommez de l'alcool en même temps que l'insuline ou les médicaments pour le diabète ou le cœur.

### Vous êtes mince et vous ne voulez pas perdre de poids

Ce livre est-il utile si on ne veut pas perdre de poids? Oui, car la plupart des changements qui font perdre du poids, comme manger moins de gras et plus de fibres, peuvent améliorer la santé de chacun. Nous avons tous besoin de différentes quantités de nourriture. Les pages 47 à 49 vous aideront à choisir des portions appropriées pour vos repas et collations.

### *Vous faites de grands progrès! Il faut du temps et des efforts pour améliorer sa santé, mais vous le méritez bien!*

# *Repas, recettes et collations*

# Avant-propos

*Les repas de chaque catégorie contiennent tous le même nombre de calories.*

*Les grands repas apparaissent sur les photos grandeur nature.*

## Les repas

Dans la deuxième partie de ce livre, il y a 50 repas : 31 soupers (un pour chaque jour du mois, si le cœur vous en dit), tous ayant le même nombre de calories. On vous propose également 9 déjeuners et 10 dîners.

Chaque repas est accompagné de deux photos : une photo **grandeur nature** du grand repas, dans laquelle est insérée une petite photo du repas léger. Ce sont les mêmes repas, mais les portions sont différentes. Regardons le déjeuner n° 4 aux pages 58 et 59 ; on y trouve une photo grandeur nature du grand repas et une photo du repas léger dans le coin supérieur droit. Reportez-vous maintenant aux pages 94 à 97 (souper n° 1). On y voit une photo grandeur nature du grand souper et une petite photo du souper léger, en bas à gauche.

Aux pages 47 à 49, vous verrez combien de calories il y a dans le grand repas et le repas léger ; vous pourrez ainsi choisir celui qui vous convient le mieux.

On trouve un menu sur la page précédant chaque photo. Ce menu indique le poids et la grosseur des portions. Si l'on regarde, par exemple, au bas de la page 58, on voit le menu correspondant au déjeuner n° 4.

Étant donné que chaque catégorie de repas compte le même nombre de calories, vous pouvez modifier l'ordre des repas. Par exemple, le lundi, vous pouvez choisir le déjeuner n° 1, le dîner n° 4 et le souper n° 8. Si vous préférez prendre votre repas principal le midi, choisissez un repas de dîner pour le soir.

Plusieurs plats présentés dans ce livre peuvent être commandés au restaurant. En consultant les photos, vous pouvez voir quelle quantité de pizza, de frites ou de mets chinois vous devriez commander.

On peut mettre les restes au congélateur pour les manger plus tard ou les conserver au réfrigérateur pendant deux à trois jours. J'essaie toujours d'avoir deux ou trois soupers dans mon congélateur. Je m'en sers lorsque je n'ai pas beaucoup de temps ou que je n'ai pas envie de cuisiner.

Vous verrez très peu souvent de l'eau, du café ou du thé sur les photos. N'oubliez pas de boire de l'eau à chaque repas; vous pouvez également prendre un thé ou un café. Pensez à diminuer ou à supprimer le sucre et la crème.

## Les recettes

Dans *La santé au menu,* vous trouverez 60 des recettes préférées de toute la famille. La plupart d'entre elles sont préparées avec des ingrédients de tous les jours. Les recettes sont faciles à préparer, nutritives et savoureuses. On y ajoute peu de gras et, dans la plupart des cas, peu de sucre. L'ajout de sel n'est recommandé que pour certains plats, uniquement pour en relever le goût ou pour faire lever un mélange. Vous pouvez en utiliser encore moins si vous le voulez.

Si vous êtes une personne vivant seule, vous n'avez qu'à couper de moitié les recettes. Vérifiez le nombre de portions indiqué. Certaines recettes donnent six portions. Si vous cuisinez pour une grande famille, vous pouvez doubler les quantités.

## Les collations

Après les photos de souper, vous trouverez une section sur les collations (pages 220 et 221).

*Ce livre contient 60 recettes:*
- *faciles à faire*
- *économiques*
- *faibles en gras, en sucre ou en sel*
- *faciles à congeler*
- *qui plaisent à toute la famille*

## Poids et mesures utilisés dans les recettes, repas et collations

Dans les recettes, on a utilisé les mesures anglaises et les mesures métriques. En voici le tableau :

| | | |
|---|---|---|
| 1 tasse (8 oz) | = | 250 ml (millilitres) |
| ½ tasse (4 oz) | = | 125 ml |
| ⅓ tasse (3 oz) | = | 80 ml |
| ¼ tasse (2 oz) | = | 60 ml |
| 1 c. à soupe | = | 15 ml |
| 1 c. à thé | = | 5 ml |
| 1 oz | = | 30 g |
| 1 lb | = | 454 g |

**Note :**

- *1 c. à soupe (15 ml) contient l'équivalent de 3 c. à thé (15 ml).*
- *Il y a 4 c. à soupe (60 ml) dans ¼ tasse (60 ml).*
- *Il y a 16 c. à soupe (250 ml) dans une tasse.*

## Vérifiez le volume de vos verres et de vos bols

Les verres et les bols à céréales ou à soupe que l'on utilise peuvent être différents de ceux figurant sur les photographies. Pour en connaître la mesure exacte, il suffit de remplir une tasse à mesurer d'eau et de la verser dans un verre ou dans un bol.

# Repas et collations : choisissez les bonnes portions

Regardez les deux photos, la grande et la petite. Choisissez le repas qui contient un peu moins de nourriture que ce que vous mangez habituellement. Le fait de manger moins vous aidera à perdre du poids ou à garder un poids santé.

Si vous êtes une personne âgée et que vous avez un excédent de poids, peut-être mangez-vous autant que lorsque vous étiez plus jeune, tout en étant moins actif. Pour perdre lentement du poids, tout ce dont vous avez besoin, c'est d'un déjeuner léger, d'un petit dîner et d'un petit souper, sans collation. Vous aurez ainsi environ 1 200 calories par jour. Si vous ajoutez deux petites collations aux trois petits repas, cela fera 100 calories de plus. Différentes combinaisons de repas sont indiquées au tableau de la page 49.

Est-ce que les grosses portions vous semblent plus raisonnables? Dans ce cas, choisissez trois grands repas sans collation et vous aurez environ 1 600 calories. Le menu comptant le plus de calories consisterait à prendre trois grands repas et trois grosses collations : vous auriez ainsi environ 2 200 calories.

Diminuez les quantités et vous perdrez du poids lentement. Il n'est pas bon de perdre du poids trop rapidement, par exemple, 3 lb (plus de 1,5 kg) ou plus par semaine, parce que vos muscles aussi diminueraient de volume.

Si vous perdez du poids lentement, il sera plus facile de ne pas reprendre ce que vous aurez perdu. Alors, si vous perdez 1 ou 2 lb (0,5 à 1 kg) par mois, vous êtes sur la bonne voie.

*En prenant de l'âge, on a besoin de prendre des repas plus petits et moins de collations.*

*La santé au menu* a été conçu pour les adultes qui désirent perdre du poids ou maintenir un poids santé. Comme les repas sont nutritifs, ils sont également sains pour toute la famille, mais vous devrez sans doute ajuster les portions. Les repas légers conviennent à la plupart des jeunes enfants. Mais les enfants en pleine croissance ou les adolescents ont besoin de portions plus grosses encore que les grands repas et les grosses collations. Pour eux, on peut ajouter 1 tasse (250 ml) de lait à chaque repas pour leurs besoins en calcium. Remplacez les boissons alcooliques par des boissons non alcoolisées.

*On a compté les calories pour vous. Les repas et collations de chaque catégorie comportent le même nombre de calories.*

Vous n'avez pas besoin de compter les calories : je l'ai fait pour vous. Si vous mangez des repas et des collations de taille équivalente chaque jour, vous aurez toujours le même nombre de calories. Aussi, la quantité d'amidon, de sucre, de protéines et de gras est assez semblable d'un repas à l'autre.

### Pour les repas légers :

- le déjeuner contient 250 calories
- le dîner contient 400 calories
- le souper contient 550 calories.

### Pour les grands repas :

- le déjeuner contient 370 calories
- le dîner contient 520 calories
- le souper contient 730 calories.

### Pour les collations :

- une collation faible en calories contient 20 calories ou moins
- une collation légère contient 50 calories
- une collation moyenne contient 100 calories
- une grosse collation contient 200 calories.

### Pensez-y bien :

- *Trois grosses collations par jour totalisent 600 calories.*
- *Trois collations légères ne représentent que 150 calories.*

**Apport quotidien en calories pour différentes combinaisons de repas (déjeuner, dîner et souper) et de collations**

| | |
|---|---:|
| • repas légers sans collation | 1 200 calories |
| • repas légers avec deux petites collations | 1 300 calories |
| • repas légers avec une petite collation et deux moyennes | 1 450 calories |
| • repas légers avec une petite collation, une moyenne et une grosse | 1 550 calories |
| • grands repas sans collation | 1 620 calories |
| • grands repas avec deux petites collations | 1 720 calories |
| • grands repas avec une petite collation et deux moyennes | 1 870 calories |
| • grands repas avec une petite collation, une moyenne et une grosse | 1 970 calories |
| • grands repas avec trois grosses collations | 2 220 calories |

# *Déjeuners*

# DÉJEUNER 1

# Céréales sèches

C'est le petit déjeuner le plus facile à préparer.

Lisez bien l'étiquette avant d'acheter vos céréales. Choisissez celles qui n'ont pas de sucre ajouté ou qui n'en contiennent qu'une petite quantité. Une portion doit contenir moins de 5 grammes de sucre et moins de 2 grammes de matières grasses.

Une céréale enrichie de fruits secs (de raisins secs, entre autres) contiendra un peu plus de sucre. Par exemple, 1 c. à soupe (15 ml) de raisins secs ajoute 5 grammes de sucre de plus. Si vous choisissez une céréale enrichie de fruits secs, vous devez alors réduire votre portion de fruit.

Quand vous achetez des céréales, vous devez également examiner leur contenu en fibres. Choisissez de préférence des céréales riches en fibres, comme les céréales de son et de blé entier.

Le lait écrémé et le lait 1 % contiennent très peu de gras. Versez-en dans vos céréales ou buvez-en un verre, c'est excellent. Si vous utilisez du lait en conserve, choisissez le lait évaporé écrémé. Rappelez-vous que $^1/_4$ tasse (60 ml) de lait concentré mélangé à $^1/_4$ tasse (60 ml) d'eau équivaut à $^1/_2$ tasse (125 ml) de lait ordinaire.

Mélangez un fruit à vos céréales ou mangez-le séparément. La moitié d'une banane ou n'importe lequel des fruits proposés pour les autres déjeuners feront l'affaire. Une demi-tasse (125 ml) de jus de fruits non sucré contient le même nombre de calories qu'un petit fruit, mais contrairement au fruit, le jus ne contient pas de fibres.

Buvez de l'eau à tous les repas, même au déjeuner. Si vous prenez une tasse de café ou de thé, attention au sucre. Supprimez-le si vous en êtes capable ou remplacez-le par un édulcorant hypocalorique. Attention également à la crème et au colorant à café. Vous savez sans doute que la crème contient beaucoup de gras, mais saviez-vous que le colorant à café est composé principalement de sucre et d'huile? Essayez de remplacer la crème et le colorant à café par du lait écrémé ou du lait écrémé en poudre. Si vous ne pouvez pas vous passer de colorant à café, choisissez le produit léger et limitez-vous à 2 c. à thé (10 ml) par jour.

| Menu du déjeuner | Grand repas | Repas léger |
|---|---|---|
| Céréales de flocons de son | 1 $^1/_4$ tasse (300 ml) | $^3/_4$ tasse (175 ml) |
| Lait écrémé ou 1 % | 1 tasse (250 ml) | $^1/_2$ tasse (125 ml) |
| Moitié d'une petite banane | Morceau de 3 po (7,5 cm) | Morceau de 3 po (7,5 cm) |

# DÉJEUNER 2

# Œuf et rôties

*Le sucre, le miel et la confiture contiennent moins de calories que le beurre et la margarine. En effet, un gramme de sucre contient moins de calories qu'un gramme de gras.*
- *1 c. à thé (5 ml) de sucre, de miel ou encore de confiture ou de gelée ordinaire contient 20 calories.*
- *1 c. à thé (5 ml) de beurre ou de margarine contient environ 40 calories.*

*Le jaune des gros œufs est à peu près identique à celui des petits œufs. Les gros œufs sont plus gros parce qu'ils contiennent plus de blanc. Cela veut donc dire qu'un petit œuf contient la même quantité de cholestérol qu'un gros œuf.*

*Si vous voulez faire cuire votre œuf mais que vous n'avez pas de poêle anti-adhésive, ajoutez un petit peu d'eau dans votre poêle au lieu d'ajouter une matière grasse.*

Pour vos rôties, choisissez du pain brun (de blé entier ou de seigle). Ces pains contiennent beaucoup de fibres.

Pour le repas léger, garnissez vos rôties d'un peu de confiture ou de miel, sans beurre ni margarine.

Préparez-vous un œuf au choix: à la coque, poché ou encore cuit dans une poêle anti-adhésive sans ajouter de gras.

Une petite portion de fruit ou quelques tranches de tomate complètent bien ce repas. Pour varier, remplacez le fruit ou la tomate par $\frac{1}{2}$ tasse (125 ml) de jus de tomate ou de légumes. Le jus de tomate est un choix sage, car il contient deux fois moins de sucre qu'un jus de fruits.

**Remarque au sujet du jus de fruit:**
Il est préférable de consommer un fruit frais plutôt qu'un jus de fruits. Le fruit est plus riche en fibres et il est plus nourrissant. Vous pouvez cependant remplacer une petite orange par $\frac{1}{2}$ tasse (125 ml) de jus d'orange non sucré.

Complétez ce repas par $\frac{1}{2}$ tasse (125 ml) de lait écrémé ou de lait 1%, ou encore par $\frac{1}{2}$ tasse (125 ml) de babeurre, également faible en gras.

| Menu du déjeuner | Grand repas | Repas léger |
|---|---|---|
| Œuf (cuit sans gras) | 1 | 1 |
| Rôties de pain brun | 2 tranches | 1 tranche |
| Margarine | 2 c. à thé (10 ml) | $\frac{1}{2}$ c. à thé (2 ml) |
| Confiture ou gelée | 1 c. à thé (5 ml) | 1 c. à thé (5 ml) |
| Lait écrémé ou 1% | $\frac{1}{2}$ tasse (125 ml) | $\frac{1}{2}$ tasse (125 ml) |
| Tranches d'orange | $\frac{1}{2}$ orange de 3 po (7,5 cm) | $\frac{1}{2}$ orange de 3 po (7,5 cm) |

REPAS LÉGER

# DÉJEUNER 3

# Crêpes et bacon

*Lisez bien l'étiquette du sirop léger. Deux c. à soupe (30 ml) doivent contenir moins de 60 calories. Deux c. à soupe (30 ml) de ce type de sirop équivalent à 1 c. à soupe (15 ml) de sirop ordinaire.*

*Pour avoir plus de fibres, ajoutez à la pâte 1 c. à soupe (15 ml) de son.*

*Pour sucrer agréablement vos crêpes, incorporez à la pâte la moitié d'une banane très mûre, écrasée.*

*Si votre poêle n'est pas anti-adhésive, graissez-la légèrement à l'aide d'un bout d'essuie-tout ou d'un enduit anti-adhésif en vaporisateur.*

Ces crêpes minces sont faciles à préparer. Elles contiennent moins de gras et de sucre que les mélanges à crêpes que vous achetez à l'épicerie.

Pour ce déjeuner, le fruit est remplacé par du sirop.

Faites frire le bacon jusqu'à ce qu'il soit croustillant. Enlevez le surplus de gras de la poêle. Une mince tranche de jambon maigre contient moins de gras que le bacon.

## Crêpes à faible teneur en calories

**Donne 16 crêpes de 4 po (10 cm)**

**1 ½ tasse (375 ml) de farine**

**½ c. à thé (2 ml) de sel**

**1 c. à thé (5 ml) de levure chimique (poudre à pâte)**

**1 c. à soupe (15 ml) de sucre**

**1 œuf**

**1 c. à soupe (15 ml) d'huile, de margarine ou de beurre fondu**

**1 ¾ tasse (425 ml) de lait écrémé**

1. Dans un grand bol, mélangez la farine, le sel, la levure chimique (poudre à pâte) et le sucre.
2. Dans un bol moyen, battez l'œuf à l'aide d'une fourchette. Incorporez la matière grasse et le lait à l'œuf battu.
3. Ajoutez le mélange à l'œuf au mélange de farine. Mélangez jusqu'à ce que la pâte soit bien lisse. Vous obtiendrez de meilleurs résultats avec un fouet. Si le mélange est trop épais, ajoutez un peu de lait.
4. Faites cuire à feu moyen dans une poêle ou une poêle électrique anti-adhésive. Trois cuillerées à soupe (45 ml) de pâte suffisent pour une crêpe. Tournez la crêpe dès que la surface se couvre de petites bulles.

| Menu du déjeuner | Grand repas | Repas léger |
|---|---|---|
| Crêpes à faible teneur en gras Sirop | 3 1 ½ c. à soupe (25 ml), ou 3 c. à soupe (45 ml) de sirop léger | 2 1 c. à soupe (15 ml), ou 2 c. à soupe (30 ml) de sirop léger |
| Bacon (croustillant) | 2 tranches | 1 ½ tranche |

# DÉJEUNER 4

# Rôties et beurre d'arachide

- *Une cuillerée à thé (5 ml) de confiture ou de gelée légère ou «diète» doit contenir moins de 10 calories – 30 calories dans 1 c. à soupe (15 ml). Deux c. à thé (10 ml) de la même confiture légère équivalent plus ou moins à 1 c. à thé (5 ml) de confiture ou de gelée ordinaire.*

- *Les confitures portant la mention «sans sucre ajouté» peuvent contenir du sucre sous forme de concentré de jus de fruits. La plupart de ces confitures contiennent presque autant de sucre que la confiture ordinaire.*

Ce déjeuner tout simple vous fournit suffisamment de protéines pour bien commencer la journée.

Une cuillerée à soupe (15 ml) de beurre d'arachide est une bonne source de protéines. Comme le beurre d'arachide contient beaucoup de gras, vous n'avez pas besoin d'en ajouter sur votre rôtie.

Une moitié de pomme accompagne bien ce déjeuner.

**Voici quelques suggestions de fruits:**
- ½ tasse (125 ml) de compote de pommes non sucrée
- un gros kiwi
- ¼ melon (petit)
- ½ petite banane
- 1 orange
- ½ pamplemousse. Au déjeuner n° 8, nous proposons une façon originale de préparer le pamplemousse.

Vous pouvez remplacer la ½ tasse (125 ml) de lait par 1 tasse (250 ml) de chocolat chaud léger (voir le déjeuner n° 9).

Pour le grand repas, recouvrez la moitié de la rôtie de beurre d'arachide et l'autre, légèrement beurrée, de 1 c. à thé (5 ml) de confiture ou de gelée.

| Menu du déjeuner | Grand repas | Repas léger |
|---|---|---|
| Rôties de pain brun | 2 tranches | 1 tranche |
| Beurre d'arachide | 1 c. à soupe (15 ml) | 1 c. à soupe (15 ml) |
| Margarine ou beurre | 1 c. à thé (5 ml) | – |
| Confiture ou gelée | 1 c. à thé (5 ml) ou | – |
| | 2 c. à thé (10 ml) de confiture légère | – |
| Lait écrémé ou 1 % | ½ tasse (125 ml) | ½ tasse (125 ml) |
| Tranches de pomme | ½ pomme de 3 po (7,5 cm) | ½ pomme de 3 po (7,5 cm) |

# DÉJEUNER 5

# Céréales chaudes

*Si vous ajoutez 2 c. à thé (10 ml) de sucre à vos céréales, ne prenez que ½ portion de fruit:*
- *1 c. à soupe (15 ml) de raisins secs*
- *1 pruneau*
- *2 rondelles de pomme séchée*
- *1 abricot sec.*

*Si vous n'ajoutez pas de sucre, vous pouvez vous permettre 1 portion entière de fruit:*
- *2 c. à soupe (30 ml) de raisins secs*
- *2 pruneaux*
- *¼ tasse (60 ml) de jus de pruneaux.*

*Vous pouvez également mélanger la moitié d'un sachet de gruau instantané non sucré et la moitié d'un sachet de gruau aromatisé. Vous obtiendrez ainsi un gruau légèrement sucré que vous accompagnerez de ½ portion de fruit.*

Les céréales chaudes — gruau (flocons d'avoine), céréales de grains entiers et semoule de maïs — contiennent beaucoup de fibres. Pour en avoir encore plus, ajoutez 1 c. à soupe (15 ml) de son de blé — ou 1 c. à thé (5 ml) de graines de lin — à vos céréales chaudes.

Ce déjeuner ne comprend que la moitié d'un fruit parce que vous ajoutez à vos céréales 2 c. à thé (10 ml) de cassonade (ou de sucre blanc ou de miel).

Si vous prenez vos céréales sans sucre ou si vous ajoutez un édulcorant hypocalorique, vous pouvez alors consommer un fruit complet (parmi ceux qui sont proposés avec la plupart des autres déjeuners).

Les portions individuelles de gruau sont faciles à préparer et elles se préparent en un clin d'œil, mais la plupart contiennent beaucoup de sucre ajouté. Choisissez les emballages portant la mention «nature» et vérifiez la liste des ingrédients pour vous assurer qu'il n'y a pas de sucre.

| Menu du déjeuner | Grand repas | Repas léger |
|---|---|---|
| Céréales chaudes | 1 ½ tasse (375 ml)<br>6 c. à soupe (90 ml) de céréales sèches | 1 tasse (250 ml)<br>4 c. à soupe (60 ml) de céréales sèches |
| Cassonade | 2 c. à thé (10 ml) | 2 c. à thé (10 ml) |
| Raisins | 1 ½ c. à soupe (25 ml) | 1 c. à soupe (15 ml) |
| Lait écrémé ou 1 % | ¾ tasse (175 ml) | ½ tasse (125 ml) |

# DÉJEUNER 6

# *Pain doré*

Ce déjeuner est facile à préparer et il est prêt en un clin d'œil.

Le pain doré est servi avec un fruit et du sirop. Si vous n'avez pas de fraises fraîches, n'importe quel autre fruit — frais, congelé ou en conserve — fera l'affaire.

*Deux cuillerées à soupe (30 ml) de sirop léger ou 2 c. à thé (10 ml) de confiture diète équivalent à 1 c. à soupe (15 ml) de sirop ordinaire.*

*Une pincée de muscade ou de cannelle aromatise agréablement le mélange à pain doré.*

## Pain doré

**Donne 6 tranches**

**2 gros œufs**

**¼ tasse (60 ml) de lait écrémé**

**Une pincée de sel, facultatif**

**6 tranches de pain**

1. Dans un bol moyen, battez les œufs avec une fourchette. Ajoutez le lait et le sel.
2. Trempez le pain dans le mélange.
3. Dans une poêle chauffée anti-adhésive, faites frire le pain des deux côtés jusqu'à ce qu'il brunisse. Si vous n'avez pas de poêle anti-adhésive, suivez la méthode expliquée à la page 56.

| Menu du déjeuner | Grand repas | Repas léger |
|---|---|---|
| Pain doré | 3 tranches | 2 tranches |
| Confiture | 1 c. à soupe (15 ml) ou | 2 c. à thé (10 ml) ou |
| | 2 c. à soupe (30 ml) de confiture légère | 4 c. à thé (20 ml) de confiture légère |
| Fraises | 5 grosses | 4 grosses |

REPAS LÉGER

# DÉJEUNER 7

# Muffin et yogourt

*Les gros muffins vendus en magasin peuvent contenir jusqu'à 5 c. à thé (25 ml) de matières grasses cachées. Essayez plutôt ces délicieux muffins à faible teneur en matières grasses. Chaque muffin ne contient que ½ c. à thé (2 ml) de gras ajouté.*

*Vous pouvez remplacer le muffin par une barre granola à faible teneur en matières grasses.*

*Vous pouvez remplacer le yogourt par ½ tasse (125 ml) de lait écrémé. Pour le repas léger, une tranche de fromage à faible teneur en matières grasses peut très bien remplacer le yogourt. Vous trouverez des suggestions de yogourt à la page 84 (dîner n° 7).*

## Muffins au son

**Donne 12 muffins moyens**

| |
|---|
| 1 tasse (250 ml) de farine |
| 1 ½ c. à thé (7 ml) de levure chimique (poudre à pâte) |
| ½ c. à thé (2 ml) de bicarbonate de soude |
| ½ c. à thé (2 ml) de sel |
| ¼ tasse (60 ml) de compote de pommes non sucrée |
| 2 c. à soupe (30 ml) de margarine |
| ¼ tasse (60 ml) de cassonade bien tassée |
| ¼ tasse (60 ml) de mélasse (ou de miel) |
| 1 œuf |
| 1 tasse (250 ml) de lait écrémé |
| 1 ½ tasse (375 ml) de son |
| ½ tasse (125 ml) de raisins secs |

1. Dans un bol moyen, mélangez la farine, la levure chimique (poudre à pâte), le bicarbonate de soude et le sel.
2. Dans un grand bol, mélangez la compote de pommes, la margarine et la cassonade. Mélangez à l'aide d'une cuillère de bois jusqu'à ce que la pâte soit lisse.
3. Incorporez la mélasse et l'œuf en battant. Ajoutez le lait, puis le son.
4. Versez le mélange de farine dans le grand bol, puis incorporez les raisins secs. Le mélange doit être bien humecté.
5. À l'aide d'une cuillère, versez le mélange dans un moule à muffins anti-adhésif non graissé. Si vous n'avez pas ce genre de moule, utilisez des moules en papier ou graissez un peu votre moule à muffins. Faites cuire au four préchauffé à 400 °F (200 °C) pendant 20 à 25 minutes. Les muffins sont prêts quand un cure-dents inséré au centre en ressort propre.

| Menu du déjeuner | Grand repas | Repas léger |
|---|---|---|
| Muffin au son | 1 | 1 |
| Yogourt aux fruits faible en gras avec édulcorant hypocalorique | ½ tasse (125 ml) | ½ tasse (125 ml) |
| Orange | 1 petite de 2 à 3 po (5 à 7,5 cm) | 1 petite de 2 à 3 po (5 à 7,5 cm) |
| Morceau de fromage | 1 oz (30 g) | – |

# DÉJEUNER 8

# Pain aux raisins et fromage

*Vous pouvez remplacer les deux tranches de pain aux raisins par un scone aux raisins ou une brioche.*

*Vous pouvez remplacer le fromage illustré sur la photo par 1 tasse (250 ml) de lait.*

*Voici une façon agréable de préparer le pamplemousse : saupoudrez-le de cannelle et d'édulcorant hypocalorique, puis mettez-le au four à micro-ondes pendant 30 secondes ou faites-le griller dans un four ordinaire jusqu'à ce qu'il soit tiède.*

Le pain aux raisins constitue une délicieuse variante. Vous pouvez, par exemple, recouvrir de fromage la moitié de votre rôtie et la faire griller, puis recouvrir l'autre moitié d'une mince couche de confiture qui contient moins de calories que la margarine.

Le grand repas peut comprendre 1 oz (30 g) de fromage en bloc ou 1 ½ tranche de fromage. Choisissez de préférence un fromage léger. Lisez bien l'étiquette :

- Un bon choix consiste en un fromage à 20 % ou moins de matières grasses.
- Le fromage ordinaire contient environ 35 % de matières grasses.

Offrez-vous ½ pamplemousse ou une portion d'un autre fruit au choix :

- ½ pomme de grosseur moyenne (ou une petite)
- 1 pêche
- ½ petite banane
- 1 orange

| Menu du déjeuner | Grand repas | Repas léger |
|---|---|---|
| Pain aux raisins grillé | 3 tranches | 2 tranches |
| Confiture ou gelée | 1 c. à thé (5 ml) ou 2 c. à thé (10 ml) de confiture légère | – – |
| Tranche de fromage | 1 ½ tranche de 1 oz (30 g) | 1 tranche |
| Pamplemousse | ½ | ½ |

# DÉJEUNER 9

# *Gaufre et chocolat chaud*

Les gaufres congelées vendues en épicerie constituent un petit déjeuner facile à préparer et prêt en un clin d'œil. Les gaufres nature contiennent moins de calories. Pour vous gâter, choisissez les gaufres aux bleuets ou à d'autres fruits.

Recouvrez votre gaufre d'un peu de confiture, de miel ou de sirop en suivant les indications dans l'encadré ci-dessous.

Ce déjeuner prévoit une portion de fruit.

Les mélanges à chocolat chaud léger sont offerts dans une variété de saveurs. Ils sont faits avec du lait écrémé en poudre et un édulcorant hypocalorique. Choisissez un mélange à chocolat chaud léger qui contient moins de 50 calories par portion de ³/₄ tasse (175 ml). Lisez bien l'étiquette.

*Voici quelques suggestions pour remplacer 1 tasse (250 ml) de chocolat chaud léger:*
- *¹/₂ tasse (125 ml) de lait à faible teneur en matières grasses*
- *¹/₂ tasse (125 ml) de yogourt léger*
- *1 tranche de 1 oz (30 g) de fromage à 20 % ou moins de matières grasses*

| Menu du déjeuner | Grand repas | Repas léger |
|---|---|---|
| Gaufre(s) | 2 | 1 |
| Margarine ou beurre | 1 c. thé (5 ml) | — |
| Sirop (ou miel ou confiture) | 1 c. à soupe (15 ml) ou 2 c. à soupe (30 ml) de sirop léger | 1 c. à soupe (15 ml) ou 2 c. à soupe (30 ml) de sirop léger |
| Raisins | ³/₄ tasse (175 ml) | ³/₄ tasse (175 ml) |
| Chocolat chaud léger | 1 tasse (250 ml), soit un sachet de 14 g | 1 tasse (250 ml), soit un sachet de 14 g |

REPAS LÉGER

# Dîners

# DÎNER 1

# *Sandwich et lait*

*Voici une recette de garniture au thon ou au saumon (pour au moins 4 sandwiches).*
**Mélanger :**

- *1 boîte (184 g) de thon ou de saumon en conserve dans l'eau*
- *1 c. à soupe (15 ml) de mayonnaise légère*
- *1 c. à soupe (15 ml) de relish*
- *1 branche de céleri finement hachée*

*Avec cette garniture, vous n'avez pas besoin d'étendre de margarine ni de mayonnaise sur le pain.*

Il existe un grand choix de garnitures nutritives pour les sandwiches : rôti de bœuf (illustré sur la photo), poulet, dinde, viandes maigres, fromage, œufs ou poisson. Choisissez de préférence le poisson en conserve dans l'eau ou des restes de poisson réduits en purée. Le saumon et la sardine constituent de bons choix parce que les os contiennent du calcium.

Le sandwich illustré comporte 2 c. à thé (10 ml) de mayonnaise légère. Si vous le désirez, vous pouvez éliminer le gras complètement et le remplacer par 1 c. à thé (5 ml) de relish ou de moutarde, ou encore par 1 c. à soupe (15 ml) de sauce piquante. Ces assaisonnements ne contiennent pas beaucoup de matières grasses.

Si vous préférez une garniture hachée, coupez un peu de céleri, d'oignon, de poivron vert ou tout autre légume que vous mélangerez à une petite quantité de mayonnaise légère. Il est préférable d'incorporer la mayonnaise à la garniture plutôt que de l'étendre sur le pain.

Servez un légume d'accompagnement, par exemple, quelques radis, une branche de céleri, quelques tranches de tomate ou des rondelles de poivron vert.

Une portion de cantaloup ou d'un autre fruit complète bien ce repas.

Vous pouvez prendre 1 tasse (250 ml) de lait écrémé, de lait 1 % ou de babeurre ou encore $3/4$ tasse (175 ml) de yogourt faible en gras. Si vous mettez une tranche de fromage dans votre sandwich, vous devez alors supprimer le lait.

| Menu du dîner | Grand repas | Repas léger |
|---|---|---|
| Sandwich à la viande | 1 ½ sandwich | 1 sandwich |
| • pain de seigle léger | • 3 tranches | • 2 tranches |
| • rosbif | • 2 oz (60 g) | • 1 oz (30 g) |
| • mayonnaise légère | • 1 c. à soupe (15 ml) | • 2 c. à thé (10 ml) |
| • laitue | • 2 grandes feuilles | • 2 grandes feuilles |
| Radis | 3 | 3 |
| Cantaloup | ½ petit | ½ petit |
| Lait écrémé ou 1 % | 1 tasse (250 ml) | 1 tasse (250 ml) |

REPAS LÉGER

# DÎNER 2

# *Fèves et rôties*

*Pour varier, remplacez les fèves par du spaghetti en conserve.*

Réchauffez le contenu d'une boîte de fèves au lard et servez-en une portion (tel qu'illustré) accompagnée d'une rôtie et d'un légume frais. Enlevez les morceaux de lard ou encore achetez des fèves dans la sauce tomate.

Pour varier, remplacez la rôtie par du pain bannock (voir la recette à la page 115) ou par un autre type de pain.

Si vous n'avez pas de céleri, une tomate tranchée ou une ½ tasse (125 ml) de jus de tomate ou de légumes feront l'affaire.

Achetez des barres de crème glacée portant la mention «légères» ou «à faible teneur en gras» qui sont sucrées à l'aide d'un édulcorant hypocalorique. Elles sont délicieuses et contiennent du calcium. Pour un délice faible en gras et en calories, essayez les barres de yogourt glacé.

*Lisez bien l'étiquette des barres de crème glacée. Choisissez celles qui contiennent moins de 50 calories. Une barre de crème glacée ordinaire contient au moins 150 calories.*

*Une barre de yogourt glacé maison contient environ 30 calories.*

*Vous pouvez remplacer la barre de crème glacée légère ou la barre de yogourt glacé maison par une ½ tasse (125 ml) de lait.*

## Barres de yogourt glacé

**Donne 8 barres**

**2 tasses (500 ml) de yogourt nature de lait écrémé**

**½ c. à thé (2 ml) de cristaux sans sucre à saveur de fruits**

1. Incorporez les cristaux au yogourt.
2. Versez dans des contenants et mettre au congélateur.

| Menu du dîner | Grand repas | Repas léger |
|---|---|---|
| Fèves au lard en conserve | 1 ¼ tasse (300 ml) | ¾ tasse (175 ml) |
| Rôties | 2 tranches | 2 tranches |
| Margarine | 1 c. à thé (5 ml) | 1 c. à thé (5 ml) |
| Bâtonnets de céleri | 2 branches | 2 branches |
| Barre de yogourt glacé | 1 | 1 |

REPAS LÉGER

# DÎNER 3

# Soupe au poulet et bagel

Les soupes en conserve ou en sachet sont faciles à préparer et prêtes en un clin d'œil. Pour les rendre plus nutritives, ajoutez-y une poignée de légumes congelés. Ne consommez pas trop de crèmes, car elles sont plus riches en gras. Essayez cette recette.

## Soupe au riz et au poulet

**Donne 7 ½ tasses (1,875 litre)**

**2 carottes moyennes, hachées**

**1 oignon moyen, haché**

**2 branches de céleri hachées**

**¼ tasse (60 ml) de riz (non cuit)**

**1 sachet de soupe aux nouilles et au poulet de 60 g (2 oz)**

**1 c. à thé (5 ml) de bouillon de poulet ou ½ cube**

**¼ c. à thé (1 ml) d'aneth séché**

**6 tasses (1,5 litre) d'eau**

1. Hachez les carottes, l'oignon et le céleri.
2. Mettez tous les ingrédients dans une casserole de taille moyenne.
3. Couvrez et laissez mijoter environ 20 minutes, jusqu'à ce que les carottes soient cuites. Brassez de temps en temps.

| Menu du dîner | Grand repas | Repas léger |
|---|---|---|
| Soupe au poulet et au riz | 1 ½ tasse (375 ml) | 1 ½ tasse (375 ml) |
| Craquelins (biscuits soda) | 2 | 2 |
| Bagel | 1 | ½ |
| Fromage à la crème léger (20 % de gras) | 1 c. à soupe (15 ml) | 1 c. à soupe (15 ml) |
| Saumon rose en conserve | 2 c. à soupe (30 ml) | 2 c. à soupe (30 ml) |
| Tomate | ½ moyenne | ½ moyenne |
| Oignon tranché | 3 tranches | 3 tranches |
| Orange | 1 petite de 2 à 3 po (5 à 7,5 cm) | 1 petite de 2 à 3 po (5 à 7,5 cm) |

# DÎNER 4

# *Macaroni au fromage*

*Si vous voulez accompagner ce dîner d'une tranche de pain légèrement beurrée, réduisez votre portion de macaroni au fromage de 1/4 tasse (60 ml).*

*Si vous n'avez pas de haricots verts ou jaunes, choisissez un des légumes suivants:*
- *jusqu'à trois branches de céleri*
- *une carotte moyenne*
- *une grosse tomate*
- *la moitié d'un concombre moyen*

Le macaroni au fromage en boîte est un excellent choix pour le dîner. Faites cuire le macaroni, puis ajoutez le lait et le fromage en poudre. Il n'est pas nécessaire d'ajouter de beurre ni de margarine.

Pour augmenter l'apport en calcium, ajoutez 2 c. à soupe (30 ml) de lait écrémé en poudre au macaroni au fromage.

Pour un bon macaroni au fromage maison, suivez la recette proposée au souper n° 18.

Des haricots jaunes ou verts frais, congelés ou en conserve accompagnent ce repas. Faites cuire les légumes à la vapeur ou au four à micro-ondes, ou encore faites-les bouillir légèrement. Les légumes trop cuits perdent une bonne quantité de vitamines et de minéraux essentiels et ils ont un goût plus fade.

| Menu du dîner | Grand repas | Repas léger |
|---|---|---|
| Macaroni au fromage (sans gras ajouté) | 1 tasse (250 ml) | 3/4 tasse (175 ml) |
| Haricots verts | 1 tasse (250 ml) | 1 tasse (250 ml) |
| Olives vertes | 3 | 1 |
| Pomme | 1 de 3 po (7,5 cm) | 1 de 3 po (7,5 cm) |

# DÎNER 5

# Sandwich grillé au fromage et à la tomate

*La salade de chou servie dans les restaurants ou achetée à l'épicerie est très riche en gras. Essayez plutôt cette délicieuse recette de salade de chou faible en gras.*

*La mayonnaise contient à peu près la même quantité de calories que la margarine ou le beurre. Si vous choisissez une mayonnaise légère ou de la margarine réduite en calories, vous n'aurez que le tiers des calories ou moins. Une c. à soupe (15 ml) de mayonnaise légère contient moins de 45 calories.*

*Si vous n'avez pas le temps de préparer une salade de chou, remplacez-la par ¹/₂ tasse (125 ml) de légumes crus.*

## Salade de chou

**Donne 6 ¹/₂ tasses (1,625 litre)**

**4 tasses (1 litre) de chou coupé fin**

**4 carottes moyennes, râpées**

**4 branches de céleri finement hachées**

**1 petit oignon**

**3 c. à soupe (45 ml) de mayonnaise légère**

**1 c. à soupe (15 ml) de sucre**

**¹/₄ tasse (60 ml) de vinaigre**

**¹/₄ c. à thé (1 ml) de poudre d'ail**

**Sel et poivre au goût**

1. Coupez le chou en fines lamelles, râpez les carottes et hachez finement le céleri et l'oignon. Mélangez les légumes dans un grand bol.
2. Dans un petit bol, mélangez la mayonnaise, le sucre, le vinaigre, la poudre d'ail, le sel et le poivre. Ajoutez ce mélange aux légumes et mélangez bien.
3. Couvrez et conservez au réfrigérateur. Se conserve facilement une semaine.

| Menu du dîner | Grand repas | Repas léger |
|---|---|---|
| Sandwich grillé au fromage et à la tomate | 1 ¹/₂ sandwich | 1 sandwich |
| • pain | • 3 tranches | • 2 tranches |
| • fromage | • 1 ¹/₂ tranche | • 1 tranche |
| • tomate | • 1 grosse | • 1 moyenne |
| • mayonnaise | • 2 c. à thé (10 ml) | • 2 c. à thé (10 ml) |
| Salade de chou | ¹/₂ tasse (125 ml) | ¹/₂ tasse (125 ml) |
| Cerises | ¹/₂ tasse (125 ml) | ¹/₂ tasse (125 ml) |
| Lait écrémé ou 1 % | ¹/₂ tasse (125 ml) | ¹/₂ tasse (125 ml) |

REPAS LÉGER

# DÎNER 6

# *Soupe et assiette froide*

Choisissez une soupe de légumes en sachet ou en conserve. Les soupes en sachet contiennent habituellement moins de calories que les soupes en conserve.

Les craquelins (biscuits soda) contiennent beaucoup moins de gras que les autres craquelins. Choisissez de préférence les craquelins non saupoudrés de sel.

Vous pouvez remplacer le petit pain brun par une tranche de pain, $^1/_2$ muffin anglais, un petit muffin au son, quatre biscottes Melba ou six biscuits soda (en plus des deux qui accompagnent votre soupe).

Si vous n'avez pas l'habitude de manger du fromage cottage, remplacez-le par une tranche de fromage à pâte dure.

Le cornichon peut très bien être remplacé par du concombre.

Pour terminer ce repas, vous avez droit à une portion de fruit frais, congelé ou en conserve (dans l'eau ou le jus).

> *Achetez du fromage plus faible en gras:*
> - *fromage cottage à 1 %*
> - *fromage en bloc contenant 20 % de matières grasses ou moins*

| Menu du dîner | Grand repas | Repas léger |
|---|---|---|
| Soupe aux légumes (en sachet) | 1 tasse (250 ml) | 1 tasse (250 ml) |
| Craquelins (biscuits soda) | 3 | – |
| Assiette froide | | |
| • fromage cottage 1 % | 1 tasse (250 ml) | $^1/_2$ tasse (125 ml) |
| • pêches | 2 moitiés | 2 moitiés |
| • cornichon à l'aneth | 1 moyen | 1 moyen |
| • laitue | 5 grandes feuilles | 5 grandes feuilles |
| • tomate | 1 moyenne | 1 moyenne |
| • oignons verts | 4 | 4 |
| • petit pain de blé entier (petit) | 1 | 1 |
| • biscuits à l'arrowroot | 2 | 2 |

# DÎNER 7

# Sandwich au beurre d'arachide et à la banane

Je ne me lasse jamais des sandwiches au beurre d'arachide et à la banane.

Préparez vos sandwiches avec 1 c. à soupe (15 ml) de beurre d'arachide et la moitié d'une banane. Ne mettez ni beurre ni margarine.

Vous pouvez aussi mélanger le beurre d'arachide à de la confiture ou du miel. Limitez-vous à 1 c. à thé (5 ml) de confiture ou de miel ou à 2 c. à thé (10 ml) de confiture légère. Dans ce cas, servez la moitié de la banane ou un autre fruit à part.

Le dimanche, mon père raffole d'un sandwich au beurre d'arachide et à l'oignon. Si vous aimez l'oignon, mettez-en autant que vous en voulez dans votre sandwich au beurre d'arachide. Consommez un fruit à part.

Accompagnez ce repas d'un jus de légumes ou de bâtonnets de carotte, comme sur la photo ou de tout autre légume frais.

Une demi-tasse (125 ml) de yogourt ordinaire aux fruits contient 3 c. à thé (15 ml) de sucre ajouté. Un yogourt sucré à l'aide d'un édulcorant hypocalorique vous permettra de réduire cette quantité de sucre.

Vous pouvez choisir entre 1/2 tasse (125 ml) de yogourt léger et 1/2 tasse (125 ml) de lait à faible teneur en matières grasses.

## Voici des suggestions pour le yogourt:

- Mélangez le contenu d'un pot de yogourt nature au lait écrémé et un pot de yogourt ordinaire aux fruits. Une demi-tasse (125 ml) de ce mélange contient 1 1/2 c. à thé (7 ml) de sucre.
- Pour préparer vous-même votre yogourt aux fruits, vous n'avez qu'à ajouter un fruit à un yogourt faible en gras. Si vous le désirez, vous pouvez le sucrer à l'aide d'un édulcorant hypocalorique.

| Menu du dîner | Grand repas | Repas léger |
|---|---|---|
| Sandwich au beurre d'arachide et à la banane | 1 1/2 sandwich | 1 sandwich |
| • pain blanc | • 3 tranches | • 2 tranches |
| • beurre d'arachide | • 1 1/2 c. à soupe (25 ml) | • 1 c. à soupe (15 ml) |
| • petite banane | • 1/2 | • 1/2 |
| Bâtonnets de carotte | 1 carotte moyenne | 1 carotte moyenne |
| Jus de tomate ou de légumes | 1/2 tasse (125 ml) | 1/2 tasse (125 ml) |
| Yogourt faible en gras sucré à l'aide d'un édulcorant hypocalorique | 1/2 tasse (125 ml) | 1/2 tasse (125 ml) |

REPAS LÉGER

# DÎNER 8

# Sandwich pita

Remplissez votre pita d'une grande quantité de légumes et de quelques protéines.

**Vous pouvez farcir votre pita avec les légumes suivants :**
- laitue et tomate
- fèves germées et germes de luzerne
- carottes râpées
- poivron vert haché

**Voici quelques idées pour remplacer le fromage et le jambon**
*(les portions indiquées correspondent à celles d'un grand repas)* :
- $^1/_2$ tasse (125 ml) de thon ou de saumon en conserve dans l'eau
- $^3/_4$ tasse (175 ml) de fromage cottage 1 %
- $^1/_3$ tasse (80 ml) de tofu ferme haché
- $^1/_2$ tasse (125 ml) de hoummos
- 1 $^1/_2$ c. à soupe (25 ml) de tartinade tahini aux graines de sésame
- 1 $^1/_2$ c. à soupe (25 ml) de beurre d'arachide

$^1/_2$ tasse (125 ml) de lait ou d'un autre produit laitier (yogourt ou barre de crème glacée diète) complète bien ce repas.

*Pour préparer l'hoummos, réduisez en purée le contenu d'une boîte de pois chiches. Vous pouvez également acheter l'hoummos en sachet ; il ne vous reste plus qu'à y ajouter de l'eau. Pour lui donner plus de goût, ajoutez-y du citron, de l'ail et du cumin.*

*Le tahini est fait de graines de sésame broyées et il est vendu dans de petits contenants. Dans les épiceries, il est généralement placé près du beurre d'arachide.*

| Menu du dîner | Grand repas | Repas léger |
|---|---|---|
| Pita | 1 de 6 po (15 cm) | 1 de 6 po (15 cm) |
| • laitue | $^1/_4$ tasse (60 ml), hachée | $^1/_4$ tasse (60 ml), hachée |
| • tomate | $^1/_2$ moyenne | $^1/_2$ moyenne |
| • germes de soya | $^1/_4$ tasse (60 ml) | $^1/_4$ tasse (60 ml) |
| • carotte | $^1/_2$ petite | $^1/_2$ petite |
| • poivron vert | 2 c. à soupe (30 ml), haché | 2 c. à soupe (30 ml), haché |
| • jambon maigre | 1 oz (30 g) | 1 oz (30 g) |
| • cheddar râpé | 3 c. à soupe (45 ml) | 2 c. à soupe (30 ml) |
| Prunes | 2 moyennes | 1 moyenne |
| Lait écrémé ou 1 % | $^1/_2$ tasse (125 ml) | $^1/_2$ tasse (125 ml) |
| Biscuits au gingembre | 2 | – |

# DÎNER 9

# Soupe, salade du chef et petit pain

Que vous dîniez à la maison ou au restaurant, vous aurez peut-être le goût d'une soupe, accompagnée d'une salade et d'un petit pain.

Rien de plus facile à préparer qu'une salade du chef, une salade César ou une salade grecque (voir recette page 207). Voici une recette de salade du chef. Vous pouvez assaisonner votre salade avec une vinaigrette sans huile achetée à l'épicerie et des croûtons à faible teneur en matières grasses.

## Salade du chef

**Donne 2 portions**

| |
|---|
| **2 tasses (500 ml) de laitue hachée** |
| **2 tomates moyennes, tranchées** |
| **Autres légumes au choix (oignons, poivrons verts, céleri, radis ou carottes)** |
| **1 pomme tranchée** |
| **2 tranches de fromage ou de viandes froides** |
| **2 œufs durs, tranchés** |
| **2 c. à soupe (30 ml) de croûtons** |

1. Mélangez les légumes et la pomme. Placez la viande ou le fromage ainsi que les œufs sur le dessus.
2. Ajoutez les croûtons et une vinaigrette sans huile.

| Menu du dîner | Grand repas | Repas léger |
|---|---|---|
| Crème de céleri ou de tomate (faite avec de l'eau) | 1 tasse (250 ml) | bouillon clair (facultatif) |
| Craquelins de blé | 2 moitiés | — |
| Salade du chef | 1 portion (½ de la recette) | 1 portion (½ de la recette) |
| Vinaigrette légère | 1 c. à soupe (15 ml) | 1 c. à soupe (15 ml) |
| Petit pain blanc | 1 petit | 1 petit |
| Margarine | ½ c. à thé (2 ml) | ½ c. à thé (2 ml) |

REPAS LÉGER

# DÎNER 10

# *Soupe à l'oignon gratinée*

*Pour le grand repas, servez la soupe avec une salade, une tranche de pain de seigle (ou un petit pain) et un fruit.*

*Si vous le désirez, choisissez le bouillon léger qui contient moins de sel.*

*Cette soupe peut également se préparer avec un sachet de mélange de soupe à l'oignon (qui contient des flocons d'oignon séchés). Ce sachet de soupe remplace le bouillon et les oignons.*

*Pour cette recette, utilisez du fromage ordinaire, car le fromage faible en gras ne grille pas aussi bien.*

La soupe à l'oignon gratinée est un repas en soi. Voici une recette facile à réaliser à la maison.

Vous pouvez choisir d'autres soupes consistantes comme la soupe aux pois cassés ou aux fèves en conserve, ou encore la soupe de bœuf haché (voir la recette à la page 114). Vous pouvez aussi consommer un potage à base de lait dans lequel vous ajouterez quelques légumes.

## Soupe à l'oignon gratinée

### Donne 4 portions

**4 sachets (ou cubes) de mélange de bouillon de bœuf**

**4 tasses (1 litre) d'eau**

**2 oignons moyens finement tranchés**

**4 tranches de pain blanc grillées**

**4 oz (120 g) de fromage suisse ou mozzarella — cela équivaut à 4 tranches de fromage carrées ayant des côtés de 4 po (10 cm) et 1/8 po (0,3 cm) d'épaisseur**

1. Dans une casserole, versez le mélange à bouillon, l'eau et les oignons tranchés. Amenez à ébullition. Réduire le feu et laissez mijoter pendant 15 minutes ou jusqu'à ce que les oignons soient tendres.
2. Versez la soupe dans des bols allant au four.
3. Découpez les rôties en carrés. Placez un carré de pain rôti dans chaque bol. Recouvrez le tout d'une tranche de fromage suisse.
4. Faites griller au four jusqu'à ce que le fromage forme des bulles.

| Menu du dîner | Grand repas | Repas léger |
|---|---|---|
| Soupe à l'oignon | 1 portion | 1 portion |
| Salade verte | grande | grande |
| Vinaigrette sans huile | 1 c. à soupe (15 ml) | 1 c. à soupe (15 ml) |
| Pain de seigle | 1 tranche | – |
| Margarine | 1 c. à thé (5 ml) | – |
| Poire | 1 | 1 |

# Soupers

# SOUPER 1

# *Poulet au four et pommes de terre*

Il est important d'enlever la peau et le gras du poulet. Roulez le poulet dans une panure prête à utiliser (type Shake'n Bake) ou encore saupoudrez-le de ce mélange d'épices sans sel ni sucre. Déposez le poulet sur une grille pour permettre au surplus de gras de s'égoutter. Mettez-le au four à 350 °F (175 °C) ou faites-le griller sur le barbecue.

## Mélange d'épices pour le poulet

**Donne une quantité suffisante pour de nombreux repas**

**2 c. à thé (10 ml) d'origan**

**1 c. à thé (5 ml) de thym**

**1 c. à thé (5 ml) de paprika**

**1 c. à thé (5 ml) de poivre**

**1 c. à thé (5 ml) de poudre de chili**

1. Mettez tous les ingrédients dans un pot muni d'un couvercle étanche. Mélangez bien.
2. Saupoudrez le poulet de ce mélange après avoir enlevé la peau.

**Comparez le contenu en gras et en sucre d'un poulet acheté dans un fast-food et d'un poulet cuit au four dont vous avez enlevé la peau et le gras.**

La poitrine de poulet illustrée sur la photo du repas **léger** contient:

- 1 c. à thé (5 ml) de gras
- aucun sucre

Le même morceau de poulet, pané et frit, acheté dans un fast-food contient:

- 4 c. à thé (20 ml) de gras
- 3 c. à thé (15 ml) de sucre ou d'amidon

Consommez votre pomme de terre nature avec 1 c. à thé (5 ml) de beurre ou de margarine, ou encore 1 c. à soupe (15 ml) de crème sure légère.

Ce plat est servi avec les légumes suivants: céleri, radis et mélange de légumes congelés.

*Vous pouvez remplacer le mélange de légumes congelés par un des légumes sucrés suivants:*

- *petits pois*
- *carottes*
- *panais*
- *betteraves*
- *navet*
- *courge (orange)*

**Mélange pour pouding facile à préparer:**
Les poudings légers sucrés à l'aide d'un édulcorant hypocalorique sont une bonne source de calcium et contiennent moins de calories que les poudings ordinaires. Préparez votre pouding avec du lait écrémé. Le pouding illustré est au caramel écossais, mais vous pouvez choisir votre saveur préférée.

*Les poudings légers ou les mousses légères achetés à l'épicerie doivent contenir la moitié moins de calories que le produit ordinaire.*

*Vous pouvez remplacer le pouding par 1 tasse (250 ml) de lait à faible teneur en gras.*

| Menu du souper | Grand repas | Repas léger |
|---|---|---|
| Poulet au four | 1 ½ poitrine de 5 oz (150 g), cuit | 1 poitrine de 3 ½ oz (105 g), cuit |
| Pomme de terre au four, avec pelure | 1 grosse | 1 moyenne |
| Crème sure légère | 1 ½ c. à soupe (25 ml) | 1 c. à soupe (15 ml) |
| Légumes mélangés | ¾ tasse (175 ml) | ¾ tasse (175 ml) |
| Radis | 3 | 3 |
| Céleri | 1 branche | 1 branche |
| Pouding au caramel écossais | ½ tasse (125 ml) | ½ tasse (125 ml) |

**REPAS LÉGER**

# SOUPER 2

# *Spaghetti sauce à la viande*

*Il est important de toujours faire revenir le bœuf haché (ordinaire ou maigre) et d'enlever ensuite le plus de gras possible de la poêle.*

*Pour enlever le surplus de gras, ajoutez un peu d'eau chaude à la viande cuite, puis égouttez.*

*Pour préparer la sauce à spaghetti sans viande, suivez la même recette, mais supprimez la viande et la pâte de tomate. Pour avoir des protéines, saupoudrez votre sauce à spaghetti de 5 c. à soupe (75 ml) de fromage râpé ou de 3 c. à soupe (45 ml) de graines de tournesol (pour le grand repas) et un peu moins pour le repas léger.*

*Certaines sauces à spaghetti achetées à l'épicerie (en conserve) contiennent une grande quantité de gras, de sucre ou d'amidon. Par exemple, 1 tasse (250 ml) de sauce sans viande contient parfois 2 c. à thé (10 ml) de gras ajouté et 4 c. à thé (20 ml) de sucre ou d'amidon ajouté. Si vous achetez votre sauce à spaghetti, choisissez une sauce légère.*

Le spaghetti sauce à la viande est un plat populaire, facile à préparer. Je double souvent cette recette et je congèle le surplus. Il est toujours pratique d'avoir de la sauce à spaghetti au congélateur.

## Sauce à la viande

**Donne 6 tasses (1,5 litre) de sauce**

**1 lb (454 g) de bœuf haché, maigre**

**1 oignon moyen**

**1 boîte de 28 oz (796 ml) de tomates**

**1 tasse (250 ml) d'eau**

**1 petite boîte de 5 oz (156 ml) de pâte de tomate**

**½ c. à thé (2 ml) de poudre d'ail**

**2 feuilles de laurier (les retirer avant de servir)**

**½ c. à thé (2 ml) de poudre de chili**

**1 c. à thé (5 ml) d'origan**

**1 c. à thé (5 ml) de basilic**

**¼ c. à thé (1 ml) de paprika**

**⅛ c. à thé (0,5 ml) de cannelle moulue**

**⅛ c. à thé (0,5 ml) de clou de girofle moulu**

**1 tasse (250 ml) de légumes hachés (poivron vert, céleri ou champignons)**

1. Faites revenir le bœuf haché jusqu'à ce qu'il brunisse. Enlevez le plus de gras possible de la poêle.
2. Ajoutez le reste des ingrédients.
3. Amenez à ébullition, puis réduisez le feu. Couvrez et laissez mijoter pendant 2 heures. Remuez de temps en temps pour que la sauce ne colle pas au fond. Si elle épaissit trop, ajoutez de l'eau.
4. Servez sur du spaghetti chaud. Ajoutez du parmesan au goût.

Plongez le spaghetti (ordinaire ou de blé entier) dans une casserole d'eau bouillante, remuez et faites cuire environ 10 minutes. Égouttez.

Servez ce plat avec des carottes.

Utilisez une vinaigrette à salade sans huile. Pour en savoir plus au sujet des vinaigrettes légères, voir le dîner n° 9, à la page 88.

Une gélatine légère, faible en calories, est un bon choix de dessert après un repas copieux. Elle se prépare en quelques minutes, mais vous devez la laisser reposer environ deux heures au réfrigérateur jusqu'à ce qu'elle prenne une consistance ferme. Si vous trouvez que les sachets de gélatine légère coûtent trop cher, essayez cette recette facile.

## Gélatine légère

**Donne 2 tasses (500 ml)**

**1 sachet de gélatine non aromatisée**

**$^1/_2$ sachet de Kool-Aid ou de Freshie ordinaire**

**1 tasse (250 ml) d'eau froide**

**1 tasse (250 ml) d'eau bouillante**

**Édulcorant hypocalorique — l'équivalent de $^1/_4$ tasse (60 ml) de sucre (utilisez-en plus ou moins, à votre goût)**

1. Faites dissoudre la gélatine non aromatisée dans $^1/_2$ tasse (125 ml) d'eau froide.
2. Ajoutez le Kool-Aid et 1 tasse (250 ml) d'eau bouillante. Remuez jusqu'à ce que la gélatine soit bien mélangée.
3. Ajoutez $^1/_2$ tasse (125 ml) d'eau froide et l'édulcorant hypocalorique.
4. Réfrigérez jusqu'à consistance ferme (environ 2 heures).

*Pour varier, fouettez la gélatine (voir le dîner n° 10, à la page 131). Dans la version fouettée, vous obtenez 4 tasses (1 litre) au lieu de 2 tasses (500 ml).*

*Les sucettes glacées sans sucre constituent un bon dessert faible en calories.*

| Menu du souper | Grand repas | Repas léger |
|---|---|---|
| Spaghetti | 1 $^3/_4$ tasse (425 ml) | 1 $^1/_2$ tasse (375 ml) |
| Sauce à la viande | 1 $^1/_4$ tasse (300 ml) | $^3/_4$ tasse (175 ml) |
| Carottes cuites | $^1/_2$ tasse (125 ml) | $^1/_2$ tasse (125 ml) |
| Salade | moyenne | moyenne |
| Vinaigrette sans huile | 1 c. à soupe (15 ml) | 1 c. à soupe (15 ml) |
| Lait écrémé ou 1 % | $^3/_4$ tasse (175 ml) | $^1/_2$ tasse (125 ml) |
| Gélatine légère | $^1/_2$ tasse (125 ml) | $^1/_2$ tasse (125 ml) |

REPAS LÉGER

# *Poisson et riz*

Vous pouvez faire griller le poisson ou le cuire au four à 350 °F (175 °C). Le poisson sur la photo est un vivaneau cuit au four et badigeonné d'un peu de margarine. Vous pouvez également le faire cuire au four à micro-ondes, à la vapeur, sur le barbecue ou encore le faire frire dans une poêle à surface anti-adhésive dans une petite quantité de gras seulement. Si vous le préparez au four ou sur votre barbecue, enveloppez-le de papier d'aluminium. Le poisson est délicieux lorsqu'il est cuit avec des épices, des oignons et des légumes dans du papier d'aluminium.

## Avant de faire cuire le poisson :

Avant de le mettre au four, piquez le poisson avec une fourchette et arrosez-le de 2 c. à soupe (30 ml) de jus de citron ou de 1/4 tasse (60 ml) de vin blanc sec, puis saupoudrez-le de vos épices préférées. Vous pouvez également l'enrober de chapelure ou de farine.

Le secret pour réussir un poisson savoureux, c'est d'éviter de trop le cuire. Le poisson est cuit lorsque sa chair se défait facilement avec une fourchette.

Le poisson est délicieux accompagné de citron, d'un peu de sauce tartare ou encore de salsa.

Le riz brun ajoute de la couleur et des fibres à ce repas. Parce qu'il contient plus de fibres, le riz brun contient moins de calories que le riz blanc.

Utilisez le reste de riz brun ou blanc pour faire un délicieux pouding au riz (la recette se trouve à la page 111, souper n° 5).

## Préparation du riz :

Mettez le riz dans une casserole épaisse. Rincez-le une fois à l'eau. Couvrez-le avec une quantité suffisante d'eau, soit 1/2 po (1 cm) au-dessus du riz. Amenez rapidement à ébullition, puis mettez le couvercle et réduisez le feu au plus bas. Le riz blanc doit cuire pendant 20 minutes et le riz brun, pendant 40 minutes. Évitez de soulever le couvercle durant la cuisson. De cette manière, votre riz sera bien humecté et floconneux.

Si vous êtes pressé, optez pour le riz instantané prêt en 5 minutes.

Ce plat est servi avec des petits pois, qui sont sucrés, et des haricots jaunes ou verts, moins sucrés. Pour donner plus de saveur sans ajouter beaucoup plus de calories, mélangez une petite boîte de champignons aux petits pois.

Terminez ce repas par un délicieux lait frappé aux fruits, très facile à préparer. Ce lait frappé est tellement épais et délicieux que vous aurez du mal à croire qu'il est fait avec du lait écrémé et non pas avec de la crème glacée.

*Vous pouvez choisir les légumes suivants qui ne sont pas très sucrés :*

- *courge d'été*
- *courge spaghetti*
- *brocoli*
- *chou-fleur*
- *épinards*

*(Vous en trouverez une liste plus longue à la page 131)*

## Lait frappé aux fruits

**Donne 2 tasses (500 ml)**

**1 tasse (250 ml) de lait écrémé**

**¹/₂ tasse (125 ml) d'un fruit au choix, congelé ou frais**

**1 c. à soupe (15 ml) de sucre ou d'édulcorant hypocalorique**

1. Versez le lait dans un bol à mélanger ou dans un mélangeur électrique. Mettez le bol ou le mélangeur au congélateur pendant une demi-heure.
2. Sortez le bol ou le mélangeur du congélateur. Ajoutez le fruit et le sucre (ou l'édulcorant hypocalorique). Passez au mélangeur électrique pendant environ 30 secondes. Si vous n'avez pas de mélangeur, mélangez dans un bol à l'aide de batteurs jusqu'à ce que le mélange devienne épais et mousseux. Servez immédiatement.

*Revenez à la page 31 pour savoir quelle quantité d'édulcorant hypocalorique utiliser.*

| Menu du souper | Grand repas | Repas léger |
| --- | --- | --- |
| Poisson avec tranche de citron | 6 oz (180 g), cuit | 4 oz (120 g), cuit |
| Margarine (pour cuire le poisson) | 1 c. à thé (5 ml) | 1 c. à thé (5 ml) |
| Riz brun | 1 ¹/₄ tasse (300 ml) | ³/₄ tasse (175 ml) |
| Petits pois | ¹/₂ tasse (125 ml) | ¹/₂ tasse (125 ml) |
| Haricots jaunes | 1 tasse (250 ml) | 1 tasse (250 ml) |
| Lait frappé aux fruits | 1 tasse (250 ml) | 1 tasse (250 ml) |
| Kiwi | 1 moyenne de 3 po (7,5 cm) | 1 moyenne de 3 po (7,5 cm) |

REPAS LÉGER

# SOUPER 4

# *Rôti de bœuf*

**Pour préparer un rôti savoureux:**
- Déposez le rôti sur une grille dans une rôtissoire sans couvercle. Ajoutez 1 tasse (250 ml) d'eau. Poivrez la viande, mais ne la salez pas (le sel a tendance à la rendre plus sèche). Faites cuire au four à 500 °F (260 °C) pendant 30 minutes.
- Réduisez la chaleur du four à 275 °F (135°C). Laissez le rôti à découvert et prolongez la cuisson pendant une heure et demie pour un rôti de 5 lb (2,3 kg).

Après avoir retiré le rôti de la rôtissoire, enlevez le gras à la cuillère. Pour vous faciliter la tâche, mettez quelques cubes de glace dans le jus de viande et le gras s'y collera. Retirez ensuite les cubes de glace avec une cuillère. Si vous avez le temps de laisser refroidir le jus, vous pourrez alors retirer facilement le gras figé. Vous pouvez servir le jus de viande tel quel ou l'épaissir en suivant la recette suivante.

## Sauce faible en gras

**Donne 2 $\frac{1}{3}$ tasses (575 ml)**

**2 sachets de mélange pour bouillon de bœuf (ou 2 cubes)**

**(pour la volaille, utilisez du bouillon de poulet)**

**1 c. à thé (5 ml) de mélange pour soupe à l'oignon**

**ou 1 c. à soupe (15 ml) d'oignon haché fin**

**2 tasses (500 ml) de liquide (jus de viande sans gras ou eau de cuisson des pommes de terre ou encore d'un autre légume)**

**$\frac{1}{4}$ tasse (60 ml) de fécule de maïs ou de farine instantanée**

**$\frac{1}{2}$ tasse (125 ml) d'eau froide**

1. Mettez le bouillon de bœuf et le mélange de soupe à l'oignon dans les 2 tasses (500 ml) de liquide chaud.
2. Dans un pot, mélangez la farine et l'eau froide. Refermez bien le couvercle et agitez. Incorporez lentement ce mélange au bouillon chaud et faites cuire à feu moyen. Remuez souvent avec un fouet jusqu'à ce que la sauce devienne épaisse et lisse, soit environ 5 minutes.

Pour préparer les pommes de terre au four, pelez puis faites cuire les pommes de terre pendant une heure sur une grille ou dans une casserole anti-adhésive ou graissée. Enrobez-les ensuite de vinaigrette italienne sans huile ou saupoudrez-les d'épices.

Servez ce plat avec des betteraves, comme sur la photo, des carottes, des navets, du maïs, des petits pois ou avec un autre légume.

Pour dessert, servez la compote de rhubarbe avec de la crème glacée faible en gras (10% de M.G.), du sorbet, du yogourt glacé ou du lait glacé. Si vous ne voulez pas de dessert, buvez une tasse de lait avec votre repas.

*Assaisonnez votre rôti de bœuf avec du raifort; ce condiment ne contient pas beaucoup de gras.*

*Les légumes, tels que les carottes, aussi sont délicieux lorsqu'on les fait cuire au four sur une grille.*

## Compote de rhubarbe

**Donne 1 ¾ tasse (425 ml)**

**4 tasses (1 litre) de rhubarbe (fraîche ou congelée) en morceaux de 1 po (2,5 cm)**

**2 c. à soupe (30 ml) d'eau**

**½ c. à thé (2 ml) de mélange à boisson sans sucre (à la fraise ou à la framboise)**

**Un soupçon de cannelle**

1. Dans une casserole épaisse, mettez la rhubarbe et l'eau, puis faites cuire à feu doux. Au besoin, ajoutez de l'eau. Laissez mijoter environ 15 minutes ou jusqu'à ce que la rhubarbe soit tendre.
2. Retirez du feu et, pendant que le mélange est encore chaud, ajoutez le mélange à boisson sans sucre et la cannelle.
3. Servez chaud ou froid. Se conserve au réfrigérateur.

*Cette compote de rhubarbe est délicieuse comme dessert ou comme collation, servie chaude sur une rôtie.*

*L'édulcorant hypocalorique contenu dans le mélange à boisson suffit pour sucrer ce dessert.*

| Menu du souper | Grand repas | Repas léger |
|---|---|---|
| Rôti de bœuf | 5 oz (150 g), cuit | 3 oz (90 g), cuit |
| Raifort | 1 c. à soupe (15 ml) | 1 c. à soupe (15 ml) |
| Oignons au four (ou au vinaigre) | 3 petits ou 1 moyen | 3 petits ou 1 moyen |
| Pomme de terre au four | 1 grosse | 1 moyenne |
| Sauce faible en gras | ¼ tasse (60 ml) | 2 c. à soupe (30 ml) |
| Betteraves | ½ tasse (125 ml) | ½ tasse (125 ml) |
| Salade | petite | petite |
| Vinaigrette italienne sans huile | 1 c. à soupe (15 ml) | 1 c. à soupe (15 ml) |
| Compote de rhubarbe | 1 tasse (250 ml) | 1 tasse (250 ml) |
| Crème glacée | ⅓ tasse (80 ml) | ⅓ tasse (80 ml) |

REPAS LÉGER

# SOUPER 5

# *Assiette froide*

Il s'agit de l'un des repas préférés de ma mère. Il me plaît également parce qu'il est si facile à faire. C'est le repas idéal par une journée chaude quand vous n'avez pas le goût de cuisiner.

Vous pouvez remplacer le fromage illustré sur la photo par du fromage moins gras (voir l'encadré).

Pour le poisson, vous pouvez choisir entre le saumon, le thon, les sardines, les crevettes, le crabe ou le homard, en conserve dans l'eau. Vous pouvez manger du saumon rouge pour ce repas, mais il serait peut-être préférable de choisir du saumon rose qui est un peu moins gras que le rouge. Vous pouvez remplacer le poisson par une tranche de viande froide.

Un petit pain, deux tranches de pain ou huit biscottes Melba vous donneront des féculents.

Garnissez votre assiette d'une variété de légumes frais.

**D**eux oz (60 g) de fromage ordinaire (32 % de gras) renferment à peu près le même nombre de calories que :
- 3 oz (90 g) de fromage maigre (17 % de gras)
- 1 ¼ tasse (300 ml) de fromage cottage 1 %

Un délicieux pouding au riz complétera ce repas. Pas trop crémeux, il est délicatement aromatisé à la cannelle et juste assez sucré. Il se mange aussi bien chaud que froid.

## Pouding au riz

**Donne 4 tasses (1 litre) ou 8 portions**

**1 œuf**

**1 ½ tasse (375 ml) de lait écrémé**

**2 c. à soupe (30 ml) de sucre (ou d'édulcorant hypocalorique)**

**½ c. à thé (2 ml) de cannelle moulue**

**½ c. à thé (2 ml) de vanille**

**2 tasses (500 ml) de riz cuit (brun ou blanc)**

**¼ tasse (60 ml) de raisins secs**

1. Dans un grand bol, battez l'œuf, le lait, le sucre ou l'édulcorant, la cannelle et la vanille à l'aide d'une cuillère en bois ou d'un fouet.
2. Incorporez le riz et les raisins secs en brassant.
3. Versez le mélange dans un plat légèrement graissé allant au four.
4. Faites cuire à 350 °F (175 °C) pendant 45 minutes ou jusqu'à ce que le centre soit bien pris.

*Vous pouvez remplacer le pouding au riz par un pouding léger, une petite portion de sorbet ou de yogourt glacé ou encore un fruit frais.*

| Menu du souper | Grand repas | Repas léger |
|---|---|---|
| Assiette froide | | |
| • laitue | 3 grandes feuilles | 3 grandes feuilles |
| • tomate | ½ moyenne | ½ moyenne |
| • poivron vert et rouge | 5 rondelles | 5 rondelles |
| • concombre | 4 tranches épaisses | 4 tranches épaisses |
| • radis | 2 gros | 2 gros |
| • saumon rouge, en conserve dans l'eau | ½ tasse (125 ml) | ½ tasse (125 ml) |
| • cheddar | 2 oz (60 g) | 1 oz (30 g) |
| • petit pain, blé entier | 1 | 1 |
| • margarine | ½ c. à thé (2 ml) | — |
| Pouding au riz | 1 tasse (250 ml) | ¾ tasse (175 ml) |

REPAS LÉGER

# Soupe de bœuf haché et pain bannock

L'avantage de cette soupe, c'est qu'elle constitue un repas en soi. Conservez le surplus au congélateur.

## Soupe de bœuf haché

**Donne 10 tasses (2,5 litres)**

1 lb (454 g) de bœuf haché
ou 1 lb (454 g) de viande de gibier en morceaux ou hachée

1 oignon moyen, haché

1 gousse d'ail ou ¼ c. à thé (1 ml) d'ail en poudre

1 boîte de tomates de 19 oz (540 ml)

1 boîte de 10 oz (284 ml) de soupe aux tomates

1 c. à thé (5 ml) de sauce Worcestershire

⅛ c. à thé (0,5 ml) de poivre

4 tasses (1 litre) d'eau

4 sachets de mélange à bouillon de bœuf (ou 4 cubes)

3 carottes moyennes, pelées et tranchées

1 tasse (250 ml) de chou tranché fin

1 boîte de 12 oz (341 ml) de maïs en grains

¼ tasse (60 ml) de macaroni non cuit

1. Faites revenir la viande hachée jusqu'à ce qu'elle brunisse. Retirez de la poêle le plus de gras possible.
2. Ajoutez les oignons et l'ail, puis faites cuire à feu doux jusqu'à ce que les oignons deviennent tendres.
3. Ajoutez les tomates, la soupe aux tomates, la sauce Worcestershire, le poivre, l'eau et le mélange à bouillon.
4. Amenez à ébullition, couvrez et laissez mijoter pendant une demi-heure.
5. Ajoutez les légumes et le macaroni. Couvrez et laissez mijoter une demi-heure de plus.

Si vous ne connaissez pas le pain bannock, essayez-le! C'est un pain sans levure facile à préparer. On le fait cuire au four ou dans une poêle à frire en fonte. Vous pouvez remplacer le pain bannock illustré sur la photo par deux tranches de pain ou un petit pain.

## Pain bannock

**Donne un pain de 9 po (23 cm) ou 10 morceaux**

**3 tasses (750 ml) de farine**

**1 c. à soupe (15 ml) de levure chimique (poudre à pâte)**

**1 c. à thé (5 ml) de sel**

**1 c. à soupe (15 ml) de sucre**

**¼ tasse (60 ml) de margarine ou autre gras fondu**

**1 tasse (250 ml) de lait écrémé**

1. Dans un grand bol, mélangez la farine, la levure chimique (poudre à pâte), le sel et le sucre.
2. Mélangez la margarine fondue et le lait. Ajoutez ce mélange à la farine. À l'aide d'une cuillère en bois, mélangez la pâte jusqu'à consistance lisse.
3. Étendez la pâte sur une planche ou sur la table enfarinée. Avec les mains, abaissez-la pour former un carré de 9 po (23 cm).
4. Déposez la pâte sur une plaque à biscuits anti-adhésive ou légèrement graissée. Faites cuire au four à 375 °F (190 °C) pendant 20 minutes ou jusqu'à ce que le pain soit légèrement bruni.
5. Découpez en 10 morceaux.

*Le pain bannock se prépare avec n'importe quel gras. J'utilise la margarine parce qu'elle donne une belle couleur dorée au pain.*

*Je préfère le lait à l'eau parce que le lait aide à faire lever la pâte et donne un pain plus savoureux et nutritif.*

*Pour cuire le bannock sur un feu de camp ou sur un réchaud de camping, préparez la pâte à pain avec seulement 2 c. à soupe (30 ml) de margarine ou de gras. Ajoutez 1 c. à soupe (15 ml) additionnelle de lait pour garder la pâte lisse. Dans une poêle en fonte, faites fondre 2 c. à soupe (30 ml) de gras et faites frire le bannock à feu doux pendant 10 minutes de chaque côté. Ce pain frit contient la même quantité de gras que celui cuit au four.*

*Pour donner un goût délicieux à votre bannock, ajoutez à la pâte ¼ tasse (60 ml) de raisins secs ou de bleuets.*

| Menu du souper | Grand repas | Repas léger |
|---|---|---|
| Soupe de bœuf haché | 1 ½ tasse (375 ml) | 1 ½ tasse (375 ml) |
| Pain bannock | 2 morceaux | 1 morceau |
| Margarine | 1 c. à thé (5 ml) | 1 c. à thé (5 ml) |
| Orange | 1 grosse | 1 grosse |

REPAS LÉGER

# SOUPER 7

# *Fèves et saucisses*

*Pour plus de goût, assaisonnez ce plat avec un des condiments suivants:*
- *1 c. à soupe (15 ml) de salsa*
- *1 c. à thé (5 ml) de sauce Worcestershire*
- *¼ c. à thé (1 ml) de sauce piquante*

Les saucisses de bœuf ou de porc contiennent beaucoup de gras et de sel. Quelques saucisses suffisent pour préparer ce plat. Les fèves, faibles en gras, vous fournissent des protéines et des fibres.

Choisissez une saucisse maigre, de dinde par exemple. Les saucisses au tofu, végétariennes, sont encore plus maigres. Le tofu est fait avec des fèves de soya, riches en protéines et faibles en gras. À l'épicerie, le tofu et les saucisses de tofu se trouvent habituellement dans la section des légumes.

## Fèves et saucisses

**Donne 2 ¼ tasses (560 ml)**

**1 boîte de fèves à la sauce tomate de 14 oz (398 ml)**

**3 saucisses ordinaires**

1. Placez les fèves dans une casserole ou un plat allant au four.
2. Ajoutez les saucisses tranchées.
3. Faites chauffer sur la cuisinière ou au four à micro-ondes.

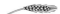

Le plat de fèves et de saucisses est servi avec des rôties et une salade verte. Pour dessert, servez une mousse au chocolat.

Voici une recette facile pour préparer une délicieuse mousse bien onctueuse.

## Mousse au chocolat

**Donne 6 portions de ¹/₂ tasse (125 ml)**

**1 sachet de mélange léger pour pouding instantané au chocolat (4 portions)**

**1 ¹/₂ tasse (375 ml) de lait écrémé**

**1 tasse (250 ml) de garniture fouettée congelée, décongelée**

1. Versez 1 ¹/₂ tasse (375 ml) de lait écrémé dans un bol moyen et ajoutez le mélange pour pouding. Battez avec un fouet ou un mélangeur électrique jusqu'à ce que le mélange devienne épais (environ 2 minutes).
2. Incorporez la garniture fouettée, décongelée et mélangez bien (si vous voulez un effet marbré, incorporez la garniture délicatement, mais sans mélanger complètement).
3. Versez dans des bols à dessert et servez.

*Vous pouvez préparer la mousse au chocolat avec un mélange ordinaire au lieu d'un mélange léger. De cette manière, chaque portion contiendra 2 ¹/₂ c. à thé (12 ml) de sucre de plus.*

| Menu du souper | Grand repas | Repas léger |
|---|---|---|
| Fèves et saucisses | 1 ¹/₂ tasse (375 ml) | 1 tasse (250 ml) |
| Rôtie | 2 petites ou 1 tranche ordinaire | 2 petites ou 1 tranche ordinaire |
| Margarine | ¹/₂ c. à thé (2 ml) | — |
| Salade verte | grande | grande |
| Vinaigrette sans huile | 1 c. à soupe (15 ml) | 1 ¹/₂ c. à thé (7 ml) |
| Mousse au chocolat | ¹/₂ tasse (125 ml) | ¹/₂ tasse (125 ml) |

**REPAS LÉGER**

# SOUPER 8

# *Steak et pommes de terre*

**C**hoisissez des coupes de bœuf de ronde ou de longe. Elles contiennent moins de gras et sont moins chères.

**E**nlevez tout le gras.

**S**i vous utilisez un barbecue, faites bien attention de ne pas faire brûler la viande. Pour cela, vaporisez légèrement le charbon avec de l'eau pour éteindre les flammes.

La manière la plus simple de préparer le steak, c'est de le faire griller au barbecue ou au four, ou encore de le faire revenir dans une poêle en fonte très chaude dans très peu d'eau. Si vous le préparez à la poêle, mettez le couvercle pour éviter les éclaboussures de gras. Faites-le cuire pendant environ 4 minutes de chaque côté.

Si vous préférez votre steak plus tendre, voici deux autres manières de le faire cuire:

- Faites-le mariner quelques heures dans des tomates en conserve, du vin, du vinaigre de vin, de la bière ou du yogourt nature. Puis faites-le cuire à la poêle dans une petite quantité de bouillon ou d'eau, ou encore faites-le griller au barbecue ou au four.
- Dans une casserole, faites cuire le steak dans un peu de bouillon de bœuf ou d'eau jusqu'à ce qu'il brunisse. Versez une boîte de tomates ou 1 tasse (250 ml) de salsa. Couvrez et laissez mijoter pendant une heure.

Les champignons frais sont délicieux grillés sur le barbecue ou au four. Vous pouvez aussi faire cuire les champignons frais ou en conserve dans une casserole à part ou dans la même casserole que le steak.

Servez le steak avec une pomme de terre en purée faible en gras, bouillie ou au four.

## Purée de pommes de terre faible en gras

Réduisez les pommes de terre en purée et ajoutez-y seulement du lait, sans beurre ni margarine. Ajoutez suffisamment de lait pour obtenir une purée crémeuse et onctueuse.

## Mélange d'épices

Vous pouvez facilement préparer ce mélange d'épices. Saupoudrez-en le steak, les pommes de terre ou le riz et les légumes.

| | |
|---|---|
| **2 c. à thé (10 ml) d'ail en poudre** | |
| **2 c. à thé (10 ml) de poudre de citron séché** | |
| **1 c. à thé (5 ml) de basilic** | |
| **1 c. à thé (5 ml) d'origan** | |
| **1 c. à thé (5 ml) de poivre moulu** | |
| **1 c. à thé (5 ml) de chili en poudre** | |

*Trouvez-vous que vos aliments sont fades quand vous n'y ajoutez pas une pincée de sel? Si oui, saupoudrez votre viande, vos pommes de terre et vos légumes*
- *de poivre*
- *de persil frais ou séché*
- *de poudre d'oignon*
- *de poudre d'ail*
- *d'épices ou d'herbes*
- *d'un mélange à épices sans sel ajouté prêt à utiliser*
- *de jus de citron ou de lime*

Pour assaisonner votre salade, choisissez une vinaigrette sans huile ou sans gras.

Les choux de Bruxelles sont des choux miniatures. Si vous n'en avez pas, remplacez-les par un de vos légumes préférés.

Le sorbet, le yogourt glacé, le lait glacé et la crème glacée 10 % de M.G. contiennent moins de gras que la crème glacée ordinaire.

| Menu du souper | Grand repas | Repas léger |
|---|---|---|
| Steak | 5 oz (150 g), cuit | 3 oz (90 g), cuit |
| Purée de pommes de terre faible en gras | 1 tasse (250 ml) | $^2/_3$ tasse (150 ml) |
| Champignons | $^1/_2$ tasse (125 ml) | $^1/_2$ tasse (125 ml) |
| Choux de Bruxelles | $^3/_4$ tasse (175 ml) | $^3/_4$ tasse (175 ml) |
| Salade | grande | grande |
| Vinaigrette sans huile | 1 c. à soupe (15 ml) | 1 c. à soupe (15 ml) |
| Sorbet | $^1/_2$ tasse (125 ml) | $^1/_2$ tasse (125 ml) |

REPAS LÉGER

## SOUPER 9

# Omelette au fromage

L'omelette constitue un excellent repas. Je sers une omelette au fromage à peu près une fois par semaine parce qu'elle est facile à préparer et qu'elle est prête en un clin d'œil. Il n'y a aucun problème à manger des œufs au repas principal une fois par semaine à condition qu'ils remplacent la viande.

## Omelette au fromage

Cette recette convient pour le grand repas. La portion du repas léger est la même, sauf que vous devez préparer l'omelette avec un seul œuf.

### 2 œufs

### 1 oz (30 g) ou une tranche de fromage en morceaux

1. Dans un petit bol, battez les œufs. Versez-les dans une poêle anti-adhésive.
2. Déposez le fromage sur les œufs.
3. Couvrez la poêle et laissez cuire à feu doux pendant environ 5 minutes.

Sur votre brocoli, vous pouvez verser 1 c. à soupe (15 ml) de fromage à tartiner léger qui contient le même nombre de calories que 1 c. à thé (5 ml) de beurre ou de margarine.

Pour le dessert, offrez-vous un ou deux biscuits à l'avoine ou un biscuit ordinaire (digestif ou au gingembre).

*Vous pouvez ajouter un blanc d'œuf supplémentaire à votre omelette. Le blanc d'œuf ne contient pas de cholestérol et seulement 20 calories. Le jaune d'œuf en contient 60.*

**Ajoutez à votre omelette:**
- *un peu d'aneth ou de persil frais ou séché*
- *1 c. à soupe (15 ml) d'oignon, d'oignon vert ou de ciboulette, finement haché.*

## Biscuits à l'avoine

**Donne 36 biscuits**

| |
|---|
| ⅓ **tasse (80 ml) de margarine** |
| ¾ **tasse (175 ml) de cassonade bien tassée** |
| **1 œuf** |
| ½ **tasse (125 ml) de lait écrémé** |
| **1 c. à thé (5 ml) de vanille** |
| **1 tasse (250 ml) de farine** |
| **1 c. à thé (5 ml) de levure chimique (poudre à pâte)** |
| **1 c. à thé (5 ml) de bicarbonate de soude** |
| **1 c. à thé (5 ml) de cannelle moulue** |
| **1 ½ tasse (375 ml) de flocons d'avoine** |
| **1 tasse (250 ml) de raisins secs** |

1. Dans un grand bol, mélangez la margarine, la cassonade et l'œuf. Battez à l'aide d'une cuillère en bois jusqu'à ce que le mélange soit lisse. Ajoutez le lait et la vanille.
2. Dans un bol moyen, mélangez la farine, la levure chimique (poudre à pâte), le bicarbonate de soude, la cannelle et les flocons d'avoine.
3. Versez le mélange de farine dans le grand bol. Mélangez bien. Incorporez les raisins secs et mélangez bien.
4. Par petites cuillerées, déposez la pâte sur une plaque à biscuits anti-adhésive. La pâte doit être collante. Faites cuire au four à 375 °F (190 °C) pendant environ 10 minutes ou jusqu'à ce que les biscuits soient bien dorés.

*P*our protéger vos casseroles et vos plaques à biscuits anti-adhésives, utilisez une spatule ou une cuillère en plastique plutôt qu'en métal. Rangez vos plaques et casseroles de manière à prévenir les éraflures. J'enveloppe les miennes dans des linges à vaisselle.

| Menu du souper | Grand repas | Repas léger |
|---|---|---|
| Omelette au fromage | 1 grande | 1 petite |
| Rôtie | 2 tranches | 2 tranches |
| Margarine | 2 c. à thé (10 ml) | 1 c. à thé (5 ml) |
| Brocoli | 2 tasses (500 ml) de morceaux | 2 tasses (500 ml) de morceaux |
| Fromage à tartiner léger | 1 c. à soupe (15 ml) | 1 c. à soupe (15 ml) |
| Biscuits à l'avoine | 2 | 1 |

REPAS LÉGER

# SOUPER 10

# *Jambon et patate douce*

Pour ce repas, achetez un jambon cuit. Choisissez celui qui a le moins de gras. Déposez le jambon dans une rôtissoire sur une grille. Mettez-le au four pendant environ 25 minutes par lb (55 minutes par kg).

Vous pouvez assaisonner et décorer le jambon en enfonçant une douzaine de clous de girofle entiers à la surface de la viande. Je place souvent une rondelle d'ananas sur le jambon pendant la dernière demi-heure de cuisson.

Le jambon est délicieux avec de la moutarde.

La patate douce ne contient pas les mêmes vitamines ni les mêmes minéraux qu'une pomme de terre et c'est une solution de remplacement intéressante. Faites-la cuire au four comme une pomme de terre ordinaire. Piquez-la d'abord avec une fourchette, puis placez-la au four préchauffé jusqu'à ce qu'elle soit tendre, soit environ une heure.

Saupoudrez le chou-fleur avec cette chapelure assaisonnée.

## Chapelure assaisonnée

### Donne un peu plus de 1 tasse (250 ml)

Vous pouvez acheter la chapelure déjà prête ou encore préparer la vôtre avec du pain et des épices.

| |
|---|
| **1 tasse (250 ml) de chapelure** |
| **2 c. à soupe (30 ml) de parmesan** |
| **1 c. à soupe (15 ml) de persil séché** |
| **1 c. à thé (5 ml) d'origan** |
| **1/2 c. à thé (2 ml) de poudre d'ail** |
| **1/8 c. à thé (0,5 ml) de poivre** |

Mélangez les ingrédients. La chapelure assaisonnée se conserve au réfrigérateur.

---

*Les jambons que l'on trouve dans le commerce contiennent une petite quantité de sucre ou de miel ajouté. Le jambon «au miel» ne contient pas plus de sucre que le jambon ordinaire.*

**Suggestions pour la cuisson de la patate douce:**

- *Au four à micro-ondes, à température élevée pendant 10 minutes*
- *Bouillie avec la pelure (enlever la pelure quand la patate douce est cuite)*

*Garnissez le chou-fleur avec une chapelure maison assaisonnée. Vous pouvez également l'utiliser sur d'autres légumes et plats gratinés.*

Les légumes sont tous excellents, mais certains, comme le chou-fleur, le brocoli et les haricots jaunes, sont plus riches en fibres et en eau. Ils contiennent donc moins de calories.

## Légumes à faible teneur en calories :

- asperges
- aubergine
- brocoli
- céleri
- champignons
- chou
- chou-fleur
- choux de Bruxelles
- concombre
- courge à moelle
- courges d'été ou courges spaghetti
- courgettes
- fèves germées
- haricots verts ou jaunes
- légumes à feuilles comme la laitue et les épinards
- oignons
- okra
- poivrons verts ou rouges
- radis
- têtes de violon
- tomates

## Gélatine fouettée

**Donne 4 tasses (1 litre)**

**1 sachet de gélatine légère de votre saveur préférée.**

1. Préparez la gélatine en suivant les instructions sur le paquet (ou suivez la recette de la page 99).
2. Retirez la gélatine du réfrigérateur après environ 45 minutes. Elle doit être aussi épaisse qu'un blanc d'œuf non battu. Battez la gélatine avec un batteur jusqu'à ce qu'elle devienne mousseuse et double de volume.
3. Remettez-la au réfrigérateur jusqu'à ce qu'elle soit ferme.

*Comme dessert, servez une portion de gélatine légère. Pour varier, fouettez la gélatine. Vous en obtenez ainsi deux fois plus.*

| Menu du souper | Grand repas | Repas léger |
|---|---|---|
| Jambon cuit au four | 1 tranche épaisse, soit 5 oz (150 g), cuit | 1 tranche mince, soit 3 oz (90 g), cuit |
| Ananas, dans le jus | 3 tranches égouttées | 3 tranches égouttées |
| Patate douce | 1 grosse | 1 moyenne |
| Margarine | 2 c. à thé (10 ml) | 1 c. à thé (5 ml) |
| Chou-fleur | 2 tasses (500 ml) | 2 tasses (500 ml) |
| Chapelure assaisonnée | 1 c. à thé (5 ml) | 1 c. à thé (5 ml) |
| Lait écrémé ou 1 % | 1 tasse (250 ml) | 1 tasse (250 ml) |
| Gélatine fouettée | 1 tasse (250 ml) | 1 tasse (250 ml) |

REPAS LÉGER

# Ragoût de bœuf

Le ragoût de bœuf servi avec des pommes de terre et du pain est toujours un succès. Cette recette contient peu de gras, car elle est préparée avec de la viande maigre et une petite quantité seulement de gras ajouté.

Le navet, les haricots jaunes et verts, les carottes et les petits pois sont d'excellents légumes à mettre dans le ragoût. Si vous êtes pressé, remplacez les légumes frais par un mélange de légumes congelés.

Vous pouvez doubler la recette et en congeler une partie pour un autre repas.

Pour dessert, prenez une portion de fruit.

*Si vous êtes pressé, voici une suggestion :*
Versez le contenu d'une boîte de ragoût de bœuf dans une casserole et ajoutez quelques légumes congelés ou cuits. Réchauffez.

## Ragoût de bœuf

**Donne 7 tasses (1,75 litre)**

1 c. à soupe (15 ml) de margarine ou de beurre

2 oignons moyens, hachés

2 gousses d'ail hachées ou ½ c. à thé (2 ml) d'ail en poudre

1 lb (454 g) de bœuf à ragoût sans gras, coupé en dés

2 c. à soupe (30 ml) de farine

2 sachets de mélange pour bouillon de bœuf (ou 2 cubes) mélangés à 2 tasses (500 ml) d'eau chaude

1 feuille de laurier (retirez-la avant de servir)

2 grosses branches de céleri, tranchées

3 carottes moyennes, tranchées

2 tasses (500 ml) d'autres légumes frais (ou de légumes congelés, mélangés)

⅛ c. à thé (0,5 ml) de poivre

¼ tasse (60 ml) de vin sec (ou de vinaigre de vin)

1. Mettez la margarine, les oignons et l'ail dans une casserole épaisse. Cuire à feu moyen en remuant jusqu'à ce que les oignons deviennent transparents. Remuez souvent pour les empêcher de brûler.
2. Ajoutez la viande et remuez jusqu'à ce que l'extérieur soit cuit (environ 5 minutes). Saupoudrez la farine sur le mélange de viande et d'oignons et remuez jusqu'à ce que la farine soit incorporée.
3. Retirez la casserole du feu et ajoutez le reste des ingrédients. Remuez, puis remettez la casserole sur le feu. Amenez à ébullition, puis réduisez le feu. Couvrez et laissez mijoter pendant environ une heure. Remuez de temps en temps.
4. Si vous utilisez des légumes congelés, ajoutez-les seulement à la fin et laissez-les mijoter pendant 10 minutes.

## Ragoût nord-africain et couscous

Pour varier, essayez un ragoût de bœuf nord-africain, plus épicé. Ce ragoût se prépare habituellement avec des oignons, des carottes, du navet, des tomates, des courgettes, de la citrouille et de la courge. Lorsque vous faites cuire la viande, ajoutez 1 c. à thé (5 ml) de chacune des épices suivantes : curcuma, cannelle et cumin — ou remplacez ces épices par 1 c. à soupe (15 ml) de poudre de cari — et 1 c. à thé (5 ml) de poudre de chili. Préparez ce ragoût une journée à l'avance pour que les épices soient à leur meilleur.

Remplacez le pain et les pommes de terre par du couscous. Une tasse et quart (300 ml) de couscous suffira pour le grand repas et 1 tasse (250 ml) pour le repas léger. Fait avec du blé, le couscous est vendu dans la plupart des grandes épiceries. Il a l'apparence du riz et le goût des pâtes. Il est facile à préparer et il est prêt en un clin d'œil parce que vous n'avez qu'à le faire bouillir dans l'eau. Servez le ragoût et le couscous avec du thé à la menthe.

| Menu du souper | Grand repas | Repas léger |
|---|---|---|
| Ragoût de bœuf | 2 tasses (500 ml) | 1 ½ tasse (375 ml) |
| Pommes de terre bouillies | 1 grosse | 1 moyenne |
| Pain | 1 tranche | 1 tranche |
| Margarine | 1 c. à thé (5 ml) | ½ c. à thé (2 ml) |
| Concombres tranchés | ½ concombre moyen | ½ concombre moyen |
| Cantaloup ou melon | 2 tranches | 2 tranches |

REPAS LÉGER

# SOUPER 12

# *Poisson et frites*

*Vous pouvez aussi servir vos frites avec des croquettes de poulet achetées à l'épicerie et des légumes.*
- *Pour le grand repas, prenez 7 croquettes de poulet (140 grammes).*
- *Pour le repas léger, prenez 5 croquettes de poulet (95 grammes).*

**Comparez le nombre de calories contenues dans 10 frites:**
- *frites préparées dans l'huile au restaurant – 160 calories*
- *frites congelées, cuites au four – 90 calories*
- *frites au four faibles en gras – 60 calories*

*Les sachets d'épices pour pommes de terre achetés à l'épicerie contiennent du sucre et du sel. Si vous voulez les utiliser dans cette recette, mettez-en moins de 1 c. à soupe (15 ml).*

Voici un repas facile à préparer avec des bâtonnets de poisson prêts à manger et des frites congelées que vous ferez cuire au four sur une plaque à biscuits. Les portions de poisson et de frites sont petites parce que ces aliments sont riches en gras. Ce repas contient beaucoup moins de gras que le poisson enrobé de pâte et frit dans l'huile avec les frites.

Choisissez les marques portant la mention «faible en gras». En général, ces bâtonnets de poisson sont préparés avec une pâte plus légère dans une quantité réduite d'huile.

Vous pouvez également préparer des frites maison faibles en gras en suivant la recette ci-dessous. Les frites illustrées sur la photo sont congelées.

## Frites au four faibles en gras

**Donne 45 frites (15 frites par pomme de terre)**

**3 petites pommes de terre**

**1 blanc d'œuf**

**1 c. à thé (5 ml) d'épices (choisissez des épices énumérées à la page 102, comme le cari, l'aneth ou l'épice cajun)**

1. Lavez et pelez les pommes de terre.
2. Coupez-les en bâtonnets ou en morceaux.
3. Dans un petit bol, mélangez le blanc d'œuf et les épices à l'aide d'une fourchette.
4. Plongez les morceaux de pommes de terre dans le mélange.
5. Faites cuire les morceaux de pomme de terre sur une plaque à cuisson anti-adhésive graissée pendant environ 30 minutes, à 400 °F (200 °C), en les retournant toutes les dix minutes.

Ce plat est servi avec une portion de légumes. Vous avez le choix entre des courges, des petits pois, des carottes, du maïs, des navets ou du panais.

Voici comment je fais cuire la courge que vous voyez sur la photo: coupez-la en deux et placez-en la moitié sur une plaque à biscuits, le côté coupé vers le bas. Faites cuire au four avec le poisson et les frites pendant une demi-heure ou jusqu'à ce qu'elle soit tendre.

Essayez cette salade de légumes en gelée. Elle ajoute une touche de couleur et du goût à votre repas et elle ne contient pas beaucoup de calories. La gélatine de lime donne une belle couleur verte.

## Salade de légumes en gelée

**Donne 2 ½ tasses (625 ml), soit 5 portions**

**1 sachet de gélatine légère à la lime**

**1 ½ tasse (375 ml) d'eau bouillante**

**2 c. à soupe (30 ml) de jus de citron ou de lime**

**½ tasse (125 ml) de radis finement hachés**

**½ tasse (125 ml) de céleri finement haché**

**½ tasse (125 ml) de chou finement haché**

**1 c. à soupe (15 ml) de persil frais haché ou de persil séché**

1. Dans un bol moyen, versez la gélatine en poudre. Ajoutez l'eau bouillante et mélangez jusqu'à ce que la gélatine soit bien dissoute. Ajoutez le jus de citron. Mettez ce mélange au réfrigérateur.
2. Hachez tous les légumes. Dès que le mélange que vous avez mis au réfrigérateur commence à épaissir (au bout d'environ 45 minutes), incorporez tous les légumes.
3. Réfrigérez jusqu'à ce que la gélatine soit ferme (environ une heure de plus).

*La courge orange illustrée sur la photo est une courge gland. Il existe de nombreuses variétés de courges. Essayez la courge spaghetti, c'est l'une des moins sucrées.*

*La salade de légumes en gelée peut être servie en guise de légume faible en calories avec n'importe quel dîner ou souper. Une portion de ½ tasse (125 ml) ne contient que 20 calories.*

*Pour une salade légèrement salée et moins sucrée, essayez ceci:*
- *ajoutez à l'eau bouillante un sachet de mélange pour bouillon de poulet ou un cube.*

| Menu du souper | Grand repas | Repas léger |
|---|---|---|
| Bâtonnets de poisson | 6 bâtonnets ou 3 morceaux | 4 bâtonnets ou 2 morceaux |
| Frites congelées, cuites au four | 20 | 14 |
| Ketchup | 1 c. à soupe (15 ml) | 1 c. à soupe (15 ml) |
| Courge | ½ tasse (125 ml) | ½ tasse (125 ml) |
| Salade de légumes en gelée | ½ tasse (125 ml) | ½ tasse (125 ml) |
| Prune | 1 moyenne | 1 moyenne |

REPAS LÉGER

# SOUPER 13

# *Saucisses et pain de maïs*

Les saucisses sont riches en gras. Quel que soit le mode de cuisson que vous choisirez, piquez les saucisses avec une fourchette plusieurs fois pour permettre au gras de s'échapper. Voici quelques suggestions pour faire griller les saucisses de manière à enlever une partie du gras:

- placez-les sur une grille dans une poêle et faites-les griller
- faites-les d'abord bouillir pendant 10 minutes, puis mettez-les au four
- faites-les griller au barbecue
- placez-les sur une grille dans le four à micro-ondes

Servez les saucisses avec beaucoup de légumes. Les courgettes sont faibles en calories et faciles à préparer. Coupez-les en tranches minces et faites-les cuire à la vapeur. Si vous les faites bouillir, elles seront pâteuses.

Pour donner plus de goût aux courgettes, saupoudrez-les, une fois cuites, de parmesan et de poivre ou de chapelure assaisonnée (voir la recette à la page 130).

Servez une salade de chou (voir la recette à la page 80, dîner n° 5).

Voici quelques féculents qui pourraient remplacer les deux morceaux de pain de maïs:

- 2 tasses (500 ml) de maïs en grains ou 2 petits épis de maïs
- 1 $\frac{1}{4}$ tasse (300 ml) de riz

Vous pouvez remplacer la barre de crème glacée légère par $\frac{1}{2}$ tasse (125 ml) de lait écrémé.

*Vous pouvez également faire revenir les courgettes dans une casserole avec de l'oignon haché et de l'ail dans $\frac{1}{2}$ c. à thé (2 ml) de margarine. Ajoutez à ce mélange un ou deux des légumes suivants:*

- *tomates en conserve ou fraîches, en morceaux*
- *poivron vert*
- *aubergine*

*Au besoin, ajoutez de l'eau dans la casserole.*

142

## Pain de maïs

**Donne un pain carré de 8 po (20 cm) ou 12 morceaux**

**¾ tasse (175 ml) de semoule de maïs**

**1 ¼ tasse (300 ml) de lait écrémé**

**1 tasse (250 ml) de farine**

**1 c. à soupe (15 ml) de levure chimique (poudre à pâte)**

**½ c. à thé (2 ml) de sel**

**¼ tasse (60 ml) de sucre**

**1 œuf légèrement battu**

**3 c. à soupe (45 ml) bien rases de shortening, de beurre ou de margarine, fondu**

1. Dans un bol moyen, mélangez la semoule de maïs et le lait. Laissez reposer pendant 5 minutes.
2. Dans un grand bol, mélangez la farine, la levure chimique (poudre à pâte), le sel et le sucre.
3. Dans un petit bol, mélangez l'œuf légèrement battu et la matière grasse fondue. Ajoutez ce mélange à celui de la semoule de maïs.
4. Incorporez le mélange liquide au mélange de farine. Brassez jusqu'à ce que les ingrédients soient bien mélangés. La pâte doit avoir des grumeaux. Versez dans un moule carré de 8 po (20 cm). Utilisez un moule à surface anti-adhésive ou graissez légèrement votre moule.
5. Faites cuire au four à 400 °F (200 °C) environ 20 minutes ou jusqu'à ce que le pain soit légèrement bruni.
6. Découpez en 12 morceaux d'environ 3 x 2 po (7,5 x 5 cm).

| Menu du souper | Grand repas | Repas léger |
| --- | --- | --- |
| Saucisses | 4 petites | 3 petites |
| Pain de maïs | 2 ½ morceaux | 2 morceaux |
| Margarine | 2 c. à thé (10 ml) | — |
| Courgettes cuites à la vapeur | 2 tasses (500 ml) | 2 tasses (500 ml) |
| Chapelure assaisonnée | 1 c. à soupe (15 ml) | 1 c. à soupe (15 ml) |
| Salade de chou | ½ tasse (125 ml) | ½ tasse (125 ml) |
| Barre de crème glacée légère au chocolat | 1 barre | 1 barre |

REPAS LÉGER

# SOUPER 14

# *Chili con carne*

*Ce chili con carne se congèle facilement. Vous pouvez donc doubler la recette et congeler le surplus.*

## Chili con carne

**Donne 6 ¼ tasses (1,6 litre)**

**1 lb (454 g) de bœuf haché maigre**

**2 oignons moyens, hachés**

**1 boîte de 28 oz (796 ml) de fèves rouges**

**1 boîte de 10 oz (284 ml) de soupe aux tomates**

**⅛ c. à thé (0,5 ml) de poivre**

**½ c. à thé (2 ml) de poudre de chili**

**1 c. à soupe (15 ml) de vinaigre**

**½ c. à thé (2 ml) de sauce Worcestershire**

**1 tasse (250 ml) de légumes hachés (céleri, poivron vert)**

*Pour en savoir plus sur le riz et la manière de le faire cuire, allez à la page 102.*

*Vous pouvez remplacer ½ tasse (125 ml) de riz par :*
- *1 ½ tranche de pain*
- *½ portion de pain bannock*
- *1 petite pomme de terre*

1. Dans une grande casserole épaisse, faites revenir le bœuf haché jusqu'à ce qu'il brunisse. Enlevez le plus de gras possible.
2. Ajoutez tous les autres ingrédients.
3. Couvrez et laissez mijoter à feu doux pendant 2 à 3 heures. Remuez de temps en temps pour empêcher la sauce de coller. Si elle épaissit, ajoutez de l'eau.

Servez ce plat avec du riz brun ou blanc.

Servez aussi un légume faible en calories comme des haricots jaunes ou verts et des carottes en bâtonnets.

Cette recette de pommes au four vous donnera un excellent dessert. Ou encore, prenez une portion de n'importe quel autre fruit.

## Pommes au four

**Donne 2 pommes**

**2 pommes moyennes**

**1 c. à thé (5 ml) de beurre ou de margarine**

**1 c. à soupe (15 ml) de cassonade**

**¼ c. à thé (1 ml) de cannelle moulue**

**¼ c. à thé (1 ml) de jus de citron**

**Une pincée de muscade (au choix)**

**1 c. à soupe (15 ml) de raisins secs**

1. Retirez le cœur des pommes à partir du haut. Évitez d'ouvrir les pommes de haut en bas. Piquez les pommes avec une fourchette.
2. Dans un petit bol, mélangez les autres ingrédients et, au moyen d'une cuillère, remplissez les pommes de ce mélange.
3. Déposez les pommes dans un plat et mettez-les au micro-ondes à température élevée pendant 1 minute 20 secondes ou jusqu'à ce qu'elles soient tendres. Ou encore, déposez les pommes dans un plat dans 2 c. à soupe (30 ml) d'eau et faites-les cuire au four à 350 °F (175 °C) pendant 30 minutes.

*Les amateurs de sucre adoreront la pomme au four. De plus, elle contient moins de gras qu'un morceau de tarte aux pommes.*

- *En général, un morceau de tarte aux pommes de 3 ½ po (9 cm) contient environ 7 c. à thé (35 ml) de sucre et d'amidon ajoutés et 3 c. à thé (15 ml) de gras.*
- *Une pomme au four contient 1 ½ c. à thé (7 ml) de sucre ajouté et ½ c. à thé (2 ml) de gras ajouté.*

*Le mélange de cassonade et de beurre donne à ces pommes au four un bel aspect brillant. Vous pouvez aussi utiliser de la margarine, mais le beurre donne un sirop plus épais.*

*Cette recette contient moins de gras et de sucre que la recette traditionnelle de pommes au four. On utilise du sucre parce que les édulcorants hypocaloriques donnent un sirop trop liquide.*

| Menu du souper | Grand repas | Repas léger |
|---|---|---|
| Chili con carne | 1 ½ tasse (375 ml) | 1 tasse (250 ml) |
| Riz | ½ tasse (125 ml) | ⅓ tasse (80 ml) |
| Haricots verts | 1 tasse (250 ml) | 1 tasse (250 ml) |
| Bâtonnets de carotte | 1 carotte moyenne | 1 carotte moyenne |
| Pomme au four | 1 | 1 |

REPAS LÉGER

# SOUPER 15

# *Piroguis*

*Les piroguis sont délicieux avec la crème sure, mais n'en abusez pas. Une c. à soupe (15 ml) de crème sure légère ou 2 c. à thé (10 ml) de crème sure sans gras suffiront.*

- *La crème sure sans gras ne contient que 9 calories par c. à soupe (15 ml).*
- *La crème sure légère (7 % de gras) contient 16 calories par c. à soupe (15 ml).*
- *La crème sure ordinaire (14 % de gras) contient 32 calories par c. à soupe (15 ml).*

Achetez des piroguis congelés pour un repas rapide à la maison. On trouve des piroguis au fromage, aux pommes de terre, au fromage cottage et même à la «pizza».

Faites d'abord frire des oignons à feu doux dans 1 c. à thé (5 ml) de gras. Puis retirez les oignons de la poêle avant qu'ils ne soient trop cuits. Faites cuire les piroguis dans la même poêle jusqu'à ce qu'ils soient légèrement brunis. Vous pouvez aussi les faire bouillir pendant 10 minutes.

Pour le grand repas, vous pouvez remplacer les 2 oz (30 g) de saucisse à l'ail (kolbassa) par :

- 1 tasse (250 ml) de fromage cottage 1 %
- 2 tranches de saucisson de Bologne, grillées ou frites, sans gras ajouté.

Vous pouvez remplacer la soupe de betteraves par 1 tasse (250 ml) de betteraves cuites. Comme les betteraves marinées contiennent du sucre ajouté, ½ tasse (125 ml) équivaut à 1 tasse (250 ml) de soupe de betteraves.

> Si vous ne trouvez pas de piroguis, vous pouvez les remplacer par des raviolis.
> Pour les raviolis, suivez les instructions du fabricant.

## Soupe de betteraves facile à préparer

**Donne 3 ¹/₂ tasses (875 ml)**

**1 boîte de 10 oz (398 ml) de betteraves en dés, non sucrées**

**1 ¹/₂ tasse (375 ml) de jus de légumes (V-8, par exemple)**

**2 tasses (500 ml) de chou haché**

**¹/₄ c. à thé (1 ml) d'aneth séché**

1. Mettez tous les ingrédients dans une casserole.
2. Couvrez et laissez mijoter. Remuez pendant la cuisson. Après environ 15 minutes, la soupe sera prête.

Servez avec un peu de crème sure faible en gras et des oignons verts.

Comme légume faible en calories, servez de la choucroute ou un concombre mariné, ou encore une petite salade, qui contient moins de sel.

Une pêche fraîche fera un bon dessert. Si vous préférez les pêches en conserve, servez-en deux moitiés avec 2 c. à soupe (30 ml) de jus. Choisissez des fruits mis en conserve dans l'eau ou le jus. Accompagnez votre fruit d'un biscuit — à l'arrowroot, digestif, aux raisins secs (illustré sur la photo), au gingembre, à l'avoine ou Graham.

| Menu du souper | Grand repas | Repas léger |
|---|---|---|
| Piroguis (ou raviolis) | 6 (ou 18 raviolis) | 4 (ou 12 raviolis) |
| Crème sure faible en gras ou sans gras | 1 c. à soupe (15 ml) | 1 c. à soupe (15 ml) |
| Tranches d'oignon cuites dans la margarine | ¹/₂ petit oignon 1 c. à thé (5 ml) | ¹/₂ petit oignon 1 c. à thé (5 ml) |
| Saucisse à l'ail | 2 oz (60 g) | 1 oz (30 g) |
| Soupe de betteraves | 1 tasse (250 ml) | 1 tasse (250 ml) |
| Petites tomates | 2 ou 2 tranches de tomate | 2 ou 2 tranches de tomate |
| Choucroute | ¹/₂ tasse (125 ml) | ¹/₂ tasse (125 ml) |
| Pêche | 1 | 1 |
| Biscuit ordinaire | 1 | 1 |

REPAS LÉGER

# Hamburger et salade de pommes de terre

Préparez vos hamburgers avec du bœuf haché maigre ou extra-maigre. Une livre (454 g) de bœuf haché maigre vous donnera trois grosses boulettes ou quatre boulettes moyennes. Pour donner plus de goût, ajoutez des épices à la viande ou 2 c. à thé (10 ml) de mélange de soupe à l'oignon en sachet.

Voici différentes façons de faire cuire vos boulettes:
- faites-les griller sur le barbecue
- disposez-les sur une grille et faites-les griller au four
- faites-les cuire dans une poêle anti-adhésive, puis déposez-les sur une serviette en papier pour absorber l'excès de gras.

Garnissez votre pain à hamburger avec beaucoup de laitue et des tranches de tomate et d'oignon. Ajoutez 1 c. à thé (5 ml) de ketchup, de moutarde et de relish ou, si vous préférez, de fromage à tartiner. Pour le grand repas, prévoyez une tranche de fromage.

Si vous préférez des hot-dogs (une saucisse dans un petit pain avec de l'oignon, du ketchup et de la moutarde), vous pouvez remplacer:
- le hamburger au fromage (pour le grand repas), par deux hot-dogs sans fromage.
- le hamburger (pour le repas léger), par un hot-dog avec fromage.

Un thé glacé accompagne fort agréablement ce repas. Il en existe beaucoup de variétés dans les magasins. Vous pouvez aussi vous préparer un délicieux thé glacé léger en mélangeant un reste de thé à du jus de citron et un édulcorant hypocalorique, au goût.

Une portion de melon d'eau ou de tout autre fruit frais termine bien ce repas.

Une salade légère de pommes de terre accompagne agréablement les hamburgers.

## Salade de pommes de terre

**Donne 4 tasses (1 litre)**

**4 petites pommes de terre cuites, hachés**

**½ poivron vert, finement haché**

**2 branches de céleri, finement hachées**

**2 ou 3 oignons verts, finement hachés (ou 1 petit oignon)**

**5 radis tranchés**

**2 c. à soupe (30 ml) de vinaigre**

**2 c. à soupe (30 ml) de mayonnaise légère**

**½ c. à thé (2 ml) de moutarde préparée**

**Sel et poivre au goût**

**1 œuf dur, haché**

**Pincée de paprika pour décorer**

1. Dans un grand bol, mélangez les pommes de terre, le poivron vert, le céleri, les oignons verts et les radis.
2. Dans un petit bol, mélangez le vinaigre, la mayonnaise, la moutarde, le sel et le poivre. Mélangez à l'œuf dur, haché. Versez ce mélange sur les légumes et mélangez délicatement. Saupoudrez de paprika.
3. Déposez au réfrigérateur jusqu'au moment de servir.

| Menu du souper | Grand repas | Repas léger |
|---|---|---|
| Hamburger au fromage/Hamburger avec petit pain et garnitures | Grand hamburger, avec fromage | Hamburger moyen |
| Salade de pommes de terre | ¾ tasse (175 ml) | ½ tasse (125 ml) |
| Branche de céleri | 2 branches | 2 branches |
| Cornichons | 2 petits ou 1 moyen | 2 petits ou 1 moyen |
| Thé glacé, léger | 12 oz (360 ml) | 12 oz (360 ml) |
| Melon d'eau | 3 petites tranches | 3 petites tranches |

REPAS LÉGER

# SOUPER 17

# *Dinde rôtie*

La dinde rôtie est un véritable repas de fête à n'importe quel moment de l'année et les restes sont tellement faciles à utiliser dans les sandwiches et dans d'autres plats. J'ai ajouté quelques «extras» à ce repas pour le rendre encore plus attrayant. Même avec ces ajouts, ce repas ne contient pas plus de calories que les autres.

## Dinde

*Je préfère la dinde sans farce. La farce au pain contient beaucoup de gras en plus d'absorber le gras de la dinde.*

- Déposez la dinde dans une rôtissoire, la poitrine vers le haut. Si la dinde devient trop sèche, recouvrez-la d'un couvercle ou de papier d'aluminium.
- Faites cuire la dinde au four à 350 °F (175 °C) pendant environ 15 minutes/lb (35 minutes/kg).
- Lorsqu'elle est cuite, retirez la peau qui contient beaucoup de gras et tranchez les parties blanche et brune de la viande. Le brun contient plus de gras que le blanc.
- Servez la dinde avec 1 c. à soupe (15 ml) de canneberges que l'on trouve dans le commerce ou maison.

## Pommes de terre et sauce

*Si vous tenez à prendre de la sauce ordinaire, limitez-vous à 1 c. à soupe (15 ml).*

- Suivez la recette de la sauce faible en gras (page 106) et de la purée de pommes de terre faible en gras (page 122).

## Légumes

- Ce plat est servi avec une grande quantité de légumes comme des carottes, des petits pois, des cornichons, une salade de légumes en gelée (voir la recette à la page 139) et des asperges (fraîches ou en conserve).

## Boisson

*Si vous préférez vous abstenir d'alcool:*
- *préparer le panaché avec du vin non alcoolisé*
- *servez-vous un verre de boisson gazeuse diététique, d'eau minérale gazéifiée ou de soda.*

Dégustez ce plat avec un panaché de vin blanc (spritzer), en plus de votre verre d'eau. Le panaché contient moins de calories et d'alcool que le vin ordinaire. Pour préparer un panaché, versez 2 oz (60 ml) de vin blanc dans un verre et remplissez-le de soda gingembre diététique ou de 7-up léger.

## Dessert

La tarte à la citrouille sans croûte est un délicieux dessert. Lorsque je sers cette tarte à ma famille, personne ne se plaint qu'il n'y a pas de croûte. Vous pouvez la servir telle quelle ou encore avec 1 ou 2 c. à soupe (15 à 30 ml) de garniture fouettée, congelée.

# Tarte à la citrouille sans croûte

**Donne 6 pointes, soit une assiette à tarte de 9 po (23 cm)**

| |
|---|
| 1 boîte de 14 oz (398 ml) de citrouille |
| ½ tasse (125 ml) de sucre |
| ½ c. à thé (2 ml) de sel |
| ½ c. à thé (2 ml) de gingembre moulu |
| 1 c. à thé (5 ml) de cannelle moulue |
| ¼ c. à thé (1 ml) de muscade moulue |
| ¼ c. à thé (1 ml) de clou de girofle moulu |
| 2 œufs légèrement battus |
| 1 boîte de 13 oz (385 ml) de lait concentré, écrémé |

1. Dans un grand bol, mélangez la citrouille, le sucre, le sel et les épices.
2. Incorporez les deux œufs légèrement battus et mélangez bien.
3. Ajoutez le lait concentré écrémé (agitez bien la boîte avant de l'ouvrir) et mélangez jusqu'à consistance lisse.
4. Versez dans une assiette à tarte légèrement graissée et mettez au four à 400 °F (200 °C) pendant environ 40 minutes ou jusqu'à ce qu'un couteau inséré près du centre de la tarte en ressorte propre.

*Voici d'autres suggestions pour la garniture: crème fouettée dans un contenant sous pression, mélanges de garniture en sachet ou yogourt à la vanille. Lisez bien l'étiquette et choisissez une garniture fouettée qui contient moins de 20 calories par portion de 2 c. à soupe (30 ml).*

*Cette recette est meilleure lorsqu'elle est préparée la veille.*

| Menu du souper | Grand repas | Repas léger |
|---|---|---|
| Dinde | 3 oz (90 g) de viande blanche<br>2 oz (60 g) de viande brune | 3 oz (90 g) de viande blanche<br>ou 2 oz (60 g) de viande blanche<br>et 1 oz (30 g) de viande brune |
| Sauce aux canneberges | 2 c. à thé (10 ml) | 2 c. à thé (10 ml) |
| Purée de pommes de terre faible en gras | 1 ¼ tasse (300 ml) | ¾ tasse (175 ml) |
| Sauce faible en gras | 4 c. à soupe (60 ml) | 2 c. à soupe (30 ml) |
| Pois et carottes | ½ tasse (125 ml) | ½ tasse (125 ml) |
| Asperges | 7 branches | 7 branches |
| Cornichon | 1 moyen | 1 moyen |
| Salade de légumes en gelée | ½ tasse (125 ml) | ½ tasse (125 ml) |
| Panaché de vin blanc (spritzer) | ½ tasse (125 ml) | ½ tasse (125 ml) |
| Tarte à la citrouille sans croûte | 1 pointe | 1 pointe |
| Garniture de crème fouettée | 2 c. à soupe (30 ml)<br>(n'apparaissent pas<br>tous dans la photo) | 2 c. à soupe (30 ml)<br>(n'apparaissent pas<br>tous dans la photo) |

REPAS LÉGER

# *Macaroni au fromage gratiné*

*Une petite boîte de thon dans l'eau peut très bien remplacer les deux œufs. Égouttez bien le thon.*

*Utilisez un fromage maigre pour cette recette. Ainsi, vous consommerez moins de gras.*

*Pour un macaroni plus relevé, ajoutez:*
- *un soupçon de sauce chili piquante*
- *1 c. à soupe (15 ml) de salsa*
- *¼ c. à thé (1 ml) d'origan et de poudre d'ail.*

## Macaroni au fromage gratiné

**Donne environ 5 ½ tasses (1,375 litre)**

| |
|---|
| **2 tasses (500 ml) de macaroni non cuit** |
| **2 c. à soupe (30 ml) de lait écrémé** |
| **2 œufs battus à la fourchette** |
| **½ boîte (5 oz ou 142 ml) de soupe aux tomates** |
| **½ tasse (125 ml) de cheddar râpé, non tassé** |
| **2 c. à soupe (30 ml) de chapelure assaisonnée (voir la page 130), pour le faire gratiner** |

1. Remplissez une casserole épaisse d'eau et amenez à ébullition. Ajoutez le macaroni et laissez bouillir 10 minutes. Égouttez.
2. Ajoutez le lait et les œufs au macaroni, puis mélangez rapidement à feu doux jusqu'à ce que les œufs soient cuits. Ajoutez la soupe aux tomates et le fromage, puis mélangez de nouveau. Le macaroni est prêt en 2 minutes.
3. Vous pouvez le servir de cette manière. Mais si vous voulez le faire gratiner (comme sur la photo), mettez le macaroni dans un plat allant au four et couvrez-le de chapelure assaisonnée. Faites-le cuire au four à 375 °F (190 °C) pendant une demi-heure.

### Légumes
- Coupez le brocoli en morceaux et faites-les cuire à la vapeur ou bouillir légèrement. Vous trouverez un choix de légumes faibles en calories à la page 131.
- Pour varier, servez des morceaux de rutabaga ou de navet, ou encore faites cuire le navet avec des carottes, puis réduisez-les en purée ensemble.

Essayez ce délicieux dessert facile à préparer composé de banane, d'ananas, de pouding et de biscuits Graham. Un vrai délice!

## Surprise à l'ananas

**Donne six portions**

**1 ¹/₂ tasse (375 ml) de lait écrémé**

**1 paquet de mélange léger pour pouding instantané à la vanille**

**1 tasse (250 ml) de garniture fouettée, congelée (ordinaire ou légère), décongelée**

**1 boîte de 8 oz (227 ml) d'ananas broyés, égouttés**

**2 petites bananes, finement tranchées**

**¹/₄ tasse (60 ml) de biscuits Graham en miettes (soit environ 4 biscuits)**

1. Versez le lait écrémé dans un bol moyen et ajoutez le mélange à pouding.
2. Battez à l'aide d'un fouet ou au mélangeur électrique jusqu'à ce que le mélange devienne épais (environ 2 minutes).
3. Incorporez délicatement la garniture fouettée, congelée et les ananas, puis mélangez bien.
4. Ajoutez les bananes tranchées et les miettes de biscuits Graham au mélange à pouding. Réservez quelques tranches de banane et des miettes de biscuit pour décorer. Vous pouvez aussi verser une couche de pouding, une couche de bananes et une autre de miettes de biscuits.
5. Mettez au réfrigérateur jusqu'au moment de servir.

*La Surprise à l'ananas peut également se préparer avec un mélange à pouding ordinaire au lieu d'un mélange léger. Chaque portion contiendra alors 2 ¹/₂ c. à thé (12 ml) de sucre de plus.*

| Menu du souper | Grand repas | Repas léger |
|---|---|---|
| Macaroni au fromage gratiné | 2 tasses (500 ml) | 1 ¹/₄ tasse (300 ml) |
| Brocoli | 1 ¹/₂ tasse (375 ml) | 1 ¹/₂ tasse (375 ml) |
| Rutabaga ou bâtonnets de navet | ¹/₂ tasse (125 ml) | ¹/₂ tasse (125 ml) |
| Cornichons tranchés | 5 tranches | 5 tranches |
| Surprise à l'ananas | 1 portion | 1 portion |

REPAS LÉGER

# SOUPER 19

# Côtelette de porc et compote de pommes

*Vous pouvez placer une grille dans une lèchefrite pour faire griller la viande au four. Le gras s'égouttera au fond de la lèchefrite.*

*Les coupes de porc suivantes sont moins riches en gras:*
- *filet*
- *cuisse et intérieur de ronde*

Le porc n'est pas nécessairement un mets riche. Enlevez le gras et faites griller les côtelettes sur le barbecue ou au four. Vous pouvez aussi les cuire dans une poêle anti-adhésive sans gras. Le porc s'accompagne agréablement de pommes de terre bouillies, saupoudrées de persil frais ou séché.

Servez une petite portion de compote de pommes avec votre côtelette. Ou encore remplacez la compote par une pomme tranchée que vous ferez cuire avec des oignons et le porc.

Pour varier, préparez une côtelette d'agneau avec une sauce à la menthe.

Ce repas est servi avec une salade de haricots à l'allemande facile à préparer. Cette salade se conserve au réfrigérateur pendant une semaine. Assaisonnez-la avec un vinaigre aux herbes comme sur la photo.

## Salade de haricots à l'allemande

**Donne 4 tasses (1 litre)**

---

**4 tasses (1 litre) de haricots jaunes ou verts cuits, ou deux boîtes de 14 oz (396 ml) de haricots coupés (égouttés)**

**½ oignon moyen, finement tranché**

**2 c. à soupe (30 ml) de vinaigre**

**¼ c. à thé (1 ml) de sel (pas de sel si vous utilisez des haricots en conserve)**

---

1. Coupez les haricots en morceaux de 1 po (2,5 cm) et mettez-les dans un bol à salade. Si vous utilisez des haricots en conserve, égouttez-les et mettez-les dans le bol.
2. Incorporez les autres ingrédients et mélangez.
3. Laissez reposer pendant trente minutes. Servez.

Le pouding au tapioca est facile à préparer et excellent pour la santé. Vous pouvez remplacer le pouding proposé ci-dessous par un mélange de pouding léger, un des desserts proposés aux autres repas ou encore 1 tasse (250 ml) de lait avec un biscuit ordinaire.

## Pouding au tapioca

**Donne 4 portions**

**1 œuf (séparez le jaune du blanc)**

**2 c. à soupe (30 ml) de sucre**

**2 tasses (500 ml) de lait écrémé**

**3 c. à soupe (45 ml) de tapioca à cuisson rapide**

**3 c. à soupe (45 ml) de sucre**

**Une pincée de sel**

**½ c. à thé (2 ml) de vanille**

1. Mettez le blanc d'œuf dans un bol et le jaune dans une petite casserole. Battez le blanc d'œuf jusqu'à ce qu'il devienne mousseux. Ajoutez graduellement 2 c. à soupe (30 ml) de sucre jusqu'à ce que le mélange forme des pics.
2. Dans la casserole, battez le jaune d'œuf à la fourchette. Ajoutez le lait. Incorporez le tapioca, puis 3 c. à soupe (45 ml) de sucre et le sel.
3. Faites cuire ce mélange jusqu'à ébullition en remuant. Retirez du feu.
4. Versez une petite quantité du mélange au tapioca sur le blanc d'œuf battu et mélangez. Incorporez délicatement le reste du mélange au tapioca au blanc d'œuf. Laissez refroidir sur le comptoir.
5. Après 15 minutes, mélangez le tapioca. Ajoutez la vanille et mettez au réfrigérateur.
6. Avant de servir, si vous le désirez, décorez chaque portion avec 1 c. à thé (5 ml) de confiture légère ou un petit morceau de fruit.

| Menu du souper | Grand repas | Repas léger |
|---|---|---|
| Côtelette de porc | 1 moyenne de 5 oz (150 g), cuite | 1 petite de 3 oz (90 g), cuite |
| Compote de pommes | ¼ tasse (60 ml) | ¼ tasse (60 ml) |
| Pommes de terre bouillies avec persil | 8 petites ou 1 grosse | 5 petites ou 1 grosse |
| Salade de haricots à l'allemande | 1 tasse (250 ml) | 1 tasse (250 ml) |
| Pouding au tapioca | 1 portion | 1 portion |
| Café | 1 tasse (250 ml) | 1 tasse (250 ml) |

**REPAS LÉGER**

# SOUPER 20

# *Tacos*

Vous pouvez assaisonner vos tacos avec beaucoup ou peu d'épices, à votre goût. Vous pouvez les garnir avec la recette de garniture aux fèves et à la viande décrite ci-dessous ou avec un reste de sauce à spaghetti, de chili con carne, de dinde ou d'une autre viande hachée. Mes enfants adorent les tacos et ils veulent toujours m'aider à les préparer (tant pis pour les dégâts…). Pour varier, vous pouvez préparer des burritos en utilisant une tortilla au lieu d'un taco.

## Garniture aux fèves et à la viande

**Donne 5 tasses (1,25 litre), soit assez pour 20 tacos**

**1 lb (454 g) de bœuf haché**

**⅓ tasse (80 ml) d'eau**

**1 sachet de mélange à épices pour tacos ou burritos**

**1 boîte de 28 oz (796 ml) de fèves rouges ou blanches, dans leur jus**

1. Dans une casserole moyenne, faites brunir le bœuf haché. Retirez le plus de gras possible de la casserole.
2. Incorporez l'eau et les épices. Faites cuire à feu moyen pendant 10 minutes. Ajoutez de l'eau au besoin. Ajoutez les fèves et prolongez la cuisson de 5 minutes.

## Tacos

**Pour chaque taco, vous aurez besoin des ingrédients suivants :**

**1 coquille de taco**

**¼ tasse (60 ml) de garniture aux fèves et à la viande**

**1 c. à soupe (15 ml) de fromage râpé**

**Beaucoup de légumes**

1. Faites chauffer les tacos au four à 350 °F (175 °C) pendant 5 minutes.
2. Remplissez chaque taco avec la garniture aux fèves et à la viande, le fromage et les légumes.

---

*Pourquoi ne pas préparer des tacos un jour, puis des burritos le lendemain avec le reste de la garniture? Si vous cuisinez pour une ou deux personnes seulement, vous pourrez congeler le reste.*

*Évitez les haricots frits en conserve parce qu'ils sont très riches en gras.*

*Voici des suggestions de légumes faibles en calories qui sont excellents dans les tacos :*
- *fèves germées*
- *tomates hachées*
- *poivrons verts, hachés*
- *laitue finement coupée*
- *salsa*

Comme les tacos et les burritos se mangent avec les mains, pourquoi ne pas servir d'autres plats qui se mangent aussi avec les mains. Essayez cette trempette de légumes frais.

## Trempette aux légumes

**Donne 1 ¹/₂ tasse (375 ml)**

**1 tasse (250 ml) de yogourt nature, écrémé**

**¹/₂ tasse (125 ml) de crème sure, faible en gras**

**2 c. à soupe (30 ml) de mélange pour soupe à l'oignon**

**Oignons verts, hachés ou persil pour décorer**

1. Mélangez les trois premiers ingrédients.
2. Décorez avec les oignons verts ou le persil.

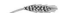

Pour dessert, servez un gâteau des anges que vous aurez préparé à l'aide d'un mélange ou, encore plus simplement, que vous aurez acheté dans une boulangerie. Parmi tous les gâteaux, c'est celui qui contient le moins de gras. Servez-le avec un fruit, comme des fraises fraîches ou congelées non sucrées, et un soupçon de garniture fouettée congelée ou en conserve. Vous trouverez d'autres suggestions pour la garniture à la page 159.

| Menu du souper | Grand repas | Repas léger |
|---|---|---|
| Tacos à la viande et aux fèves | 3 | 2 |
| Crudités | 2 tasses (500 ml) | 2 tasses (500 ml) |
| Trempette pour légumes | 2 c. à soupe (30 ml) | 2 c. à soupe (30 ml) |
| Gâteau des anges | morceau de 3 po d'épais | morceau de 3 po d'épais |
| Fraises | ¹/₂ tasse (125 ml) | ¹/₂ tasse (125 ml) |
| Garniture à la crème fouettée | 1 c. à soupe (15 ml) | 1 c. à soupe (15 ml) |

**REPAS LÉGER**

# SOUPER 21

# *Foie et oignons*

*Le foie de veau est meilleur et plus tendre, mais il est plus cher que le foie de bœuf. Le foie de poulet est bon marché, tendre et délicieux. Le foie de porc a un goût plus prononcé que le foie de bœuf.*

*Pour varier, préparez des rognons de bœuf.*

*Faites cuire des gésiers de poulet dans un peu de bouillon de poulet pendant au moins une heure jusqu'à ce qu'ils soient tendres.*

*Votre sang a besoin de fer. Les abats sont une des meilleures sources de fer. Voici d'autres bonnes sources de fer : le bœuf, le porc et le poulet, les œufs, les huîtres, les fèves rouges, le pain de grains entiers, les céréales, les épinards, la laitue vert foncé et les fruits secs comme les raisins.*

Vous aimez le foie ? Alors, ce plat vous plaira. Les abats comme le foie, les rognons, le gésier et le cœur sont très riches en fer. Comme ils sont aussi très riches en cholestérol, vous devez vous limiter à de petites portions.

## Foie et oignons

**Donne 3 grandes portions ou 4 moyennes**

**1 oignon moyen, finement tranché**

**½ tasse (125 ml) de bouillon de bœuf — un sachet de mélange pour bouillon de bœuf, ou 1 cube, mélangé à ½ tasse (125 ml) d'eau**

**¼ tasse (60 ml) de vin sec ou de vinaigre de vin**

**1 lb (454 g) de foie de bœuf**

1. Faites chauffer le bouillon de bœuf et le vin dans une poêle anti-adhésive ou en fonte. Faites cuire l'oignon à feu doux jusqu'à ce qu'il soit tendre. Retirez l'oignon de la poêle en laissant le liquide.
2. Faites cuire le foie dans la poêle à feu élevé pendant quelques minutes de chaque côté. Assurez-vous qu'il est bien cuit, mais pas trop. Si vous le faites trop cuire, il sera dur. Juste avant de servir, remettez l'oignon dans la poêle pour le réchauffer.
3. Au moment de servir, si vous le désirez, versez le bouillon qui reste dans la poêle sur le foie et le riz.

Le foie est aussi excellent lorsqu'il est cuit sur le barbecue. Sur un barbecue chaud, le foie cuira rapidement – attention de ne pas trop le faire cuire.

Comme choix de féculent, mangez du riz (voir photo) ou des pommes de terre.

Ce mets est servi avec des carottes et des tomates. Vous pouvez servir des tomates en conserve ou des tomates fraîches, tranchées.

Pour dessert, servez une salade de fruits et deux gaufrettes à la vanille (ou un biscuit ordinaire). Pour préparer la salade de fruits, mélangez vos fruits préférés, frais ou congelés.

| Menu du souper | Grand repas | Repas léger |
|---|---|---|
| Foie | 2 tranches (grande portion) | 1 tranche (portion moyenne) |
| Oignons tranchés, cuits | ¹/₂ tasse (125 ml) | ¹/₂ tasse (125 ml) |
| Riz | 1 tasse (250 ml) | ³/₄ tasse (175 ml) |
| Carottes | ¹/₂ tasse (125 ml) | ¹/₂ tasse (125 ml) |
| Tomates en conserve | 1 tasse (250 ml) | 1 tasse (250 ml) |
| Salade de fruits frais | 1 tasse (250 ml) | 1 tasse (250 ml) |
| Gaufrettes à la vanille | 2 petites | 2 petites |

REPAS LÉGER

# Burgers végétariens

Ces burgers végétariens sont délicieux lorsqu'ils sont servis sur un bagel ou un pain à hamburger. Garnissez votre bagel avec une généreuse quantité de légumes: laitue, tomates, oignons et concombres.

## Burgers végétariens

**Donne 12 burgers**

| |
| --- |
| **1 ½ tasse (375 ml) de riz cuit, brun ou blanc** |
| **1 boîte de 19 oz (540 ml) de fèves romano (ou de fèves pinto ou rouges)** |
| **⅓ tasse (80 ml) de graines de sésame** |
| **⅓ tasse (80 ml) de graines de tournesol** |
| **2 c. à soupe (30 ml) de germe de blé** |
| **¼ c. à thé (1 ml) de basilic** |
| **¼ c. à thé (1 ml) de poivre** |
| **½ c. à thé (2 ml) de poudre d'ail** |
| **1 c. à thé (5 ml) de flocons de persil** |
| **1 c. à thé (5 ml) d'aneth séché** |
| **1 œuf** |
| **1 tasse (250 ml) de mozzarella râpée, non tassée** |

*Pour réduire la teneur en gras, utilisez du fromage maigre.*

1. Faites cuire le riz ou utilisez du riz refroidi que vous aurez fait cuire la veille.
2. Égouttez les fèves. Dans un petit bol, écrasez-les à l'aide d'une fourchette ou d'un pilon.
3. Dans un grand bol, mélangez tous les ingrédients avec une grosse cuillère ou une fourchette, ou encore avec vos mains.
4. Façonnez des boulettes. Dans une poêle anti-adhésive ou dans une poêle épaisse (légèrement graissée), faites-les cuire jusqu'à ce qu'elles brunissent.

## Salade au chou frisé et à l'orange

Cette salade est composée de feuilles de chou frisé, de chou chinois tranché, de brocoli, d'oranges et de fraises. Enlevez la base coriace du chou frisé et hachez les feuilles en fines lamelles. Assaisonnez avec votre vinaigrette préférée et saupoudrez de graines de sésame.

Ce dessert est facile à préparer et a un goût léger fort agréable.

## Délice de rêve

**Donne 4 portions de 1 tasse (250 ml)**

**1 sachet de gélatine légère à la framboise ou à toute autre saveur**

**1 sachet de gélatine non aromatisée**

**1 sachet de mélange de garniture à dessert (pour faire 2 tasses)**

**1 ¼ tasse (300 ml) d'eau bouillante**

**1 ¼ tasse (300 ml) d'eau froide**

1. Dans un bol, mélangez les deux sachets de gélatine.
2. Ajoutez 1 ¼ tasse (300 ml) d'eau bouillante. Mélangez jusqu'à ce que la gélatine soit dissoute. Ajoutez ensuite 1 ¼ tasse (300 ml) d'eau froide et mélangez. Mettez au réfrigérateur.
3. Après environ 45 minutes, sortez la gélatine du réfrigérateur. Elle doit être aussi épaisse qu'un blanc d'œuf non battu, mais pas trop ferme.
4. Préparez le mélange à garniture fouettée en poudre en suivant les instructions sur le paquet.
5. Incorporez la garniture à la gélatine avec un batteur et mélangez bien.
6. Versez dans des bols à dessert. Mettez au réfrigérateur jusqu'à ce que la gélatine soit ferme.

*La salade qui accompagne ce plat est riche en calcium, en fer et en vitamine C.*

*Si vous préparez ce dessert avec de la gélatine ordinaire plutôt que légère, chaque portion contiendra alors 4 c. à thé (20 ml) de sucre de plus.*

| Menu du souper | Grand repas | Repas léger |
|---|---|---|
| Burgers végétariens | 2 | 1 |
| Bagel | 1 | 1 |
| Mayonnaise légère | 2 c. à thé (10 ml) | ½ c. à thé (2 ml) |
| Salade au chou frisé et à l'orange | grande | grande |
| Vinaigrette sans huile | 1 c. à soupe (15 ml) | 1 c. à soupe (15 ml) |
| Délice de rêve | 1 tasse (250 ml) | 1 tasse (250 ml) |

**REPAS LÉGER**

# 23

# Casserole de saumon et de pommes de terre

*Pour assaisonner votre
saumon, vous pouvez ajouter :*
- *¹/₂ c. à thé (2 ml) de raifort*
- *¹/₄ c. à thé (1 ml)
de moutarde*
- *1 c. à soupe (15ml)
de salsa*
- *1 c. à soupe (15 ml)
de sauce à spaghetti*

- *Vous pouvez également
recouvrir ce plat de
chapelure assaisonnée (voir
page 130) ou de parmesan.*

- *Vous pouvez utiliser de la
purée de pommes de terre
instantanée. Elle est plus
onctueuse que la purée
maison.*

Ce plat est l'une des spécialités de mon mari. Facile à préparer, il est toujours populaire. On peut le préparer avec du saumon ou du thon en conserve, ou encore avec les restes de n'importe quel poisson.

## Casserole de saumon et de pommes de terre

**Donne une petite casserole
(2 grosses portions ou 3 portions moyennes)**

**1 boîte (213 g) de saumon rose (dans l'eau)**

**Une pincée de poivre**

**2 tasses (500 ml) de purée de pommes de terre
(vous pouvez utiliser un reste de purée)**

**1 tasse (250 ml) de cheddar râpé, non tassé**

1. Égouttez le saumon, puis réduisez-le en purée avec les arêtes. Déposez le saumon au fond d'un petit plat allant au four. Poivrez et recouvrez de la moitié du fromage râpé.
2. Étendez la purée de pommes de terre sur le saumon et le fromage.
3. Recouvrez avec le reste du fromage.
4. Faites cuire au four à 350 °F (175 °C) pendant une demi-heure, ou au four à micro-ondes pendant 8 minutes.

Pour varier, vous pouvez également faire des boulettes avec le mélange et les faire cuire dans une poêle anti-adhésive.

Ce plat est servi avec du maïs sucré ainsi que des épinards et un jus de tomate, deux légumes faibles en calories.

Vous pouvez acheter les épinards frais ou congelés.

Pour le maïs en crème, $^1/_3$ tasse (80 ml) suffira et pour le maïs en grains, il faudra utiliser $^1/_2$ tasse (125 ml). Le maïs en crème contient du sucre ajouté, la portion doit donc être plus petite.

Pour dessert, servez une gélatine légère aux fruits.

## Gélatine légère aux fruits

**Donne 3 portions de 1 tasse (250 ml)**

1 sachet de gélatine légère

1 tasse (250 ml) d'eau bouillante

$^1/_4$ tasse (60 ml) d'eau froide

1 boîte de 14 oz (398 ml) de salade de fruits dans son jus

1. Mettez la gélatine dans un bol moyen (pas en plastique).
2. Ajoutez l'eau bouillante. Mélangez jusqu'à ce que la gélatine soit dissoute.
3. Ajoutez l'eau froide et la salade de fruits, puis mélangez bien.
4. Versez le mélange dans trois bols à dessert. Mettez au réfrigérateur jusqu'à consistance ferme.

*Les épinards sont riches en fer.*

*Vous pouvez remplacer la salade de fruits par un autre fruit en conserve, des pêches, par exemple. Coupez les fruits en morceaux.*

*Vous pouvez aussi utiliser 1 $^3/_4$ tasse (425 ml) de fruits frais en morceaux au lieu des fruits en conserve. Vous devez alors ajouter 1 tasse (250 ml) d'eau froide au lieu de $^1/_4$ tasse (60 ml).*

| Menu du souper | Grand repas | Repas léger |
|---|---|---|
| Casserole de saumon et pommes de terre | $^1/_2$ recette | $^1/_3$ recette |
| Maïs | $^3/_4$ tasse (175 ml) | $^1/_2$ tasse (125 ml) |
| Épinards | $^1/_2$ tasse (125 ml) | $^1/_2$ tasse (125 ml) |
| Jus de tomate | $^1/_2$ tasse (125 ml) | $^1/_2$ tasse (125 ml) |
| Céleri | $^1/_4$ branche (dans du jus de tomate) | 1 $^1/_4$ branche |
| Gélatine légère aux fruits | 1 tasse (250 ml) | 1 tasse (250 ml) |

REPAS LÉGER

# Casserole de bœuf haché et de nouilles

La plupart des préparations de pâtes et de sauce à ajouter au bœuf haché contiennent beaucoup de gras. Cette recette est moins riche en gras.

## Casserole de bœuf haché et de pâtes

**Donne 7 $\frac{1}{3}$ tasses (1,8 litre) environ 4 grosses portions ou 6 petites**

**1 lb (454 g) de bœuf haché, maigre**

**1 gros oignon haché**

**$\frac{1}{4}$ c. à thé (1 ml) de poivre**

**1 boîte de 10 oz (284 ml) de soupe aux tomates**

**1 boîte de 10 oz (284 ml)
de champignons en morceaux (égouttés)**

**1 tasse (250 ml) de lait écrémé**

**1 c. à thé (5 ml) de sauce Worcestershire**

**4 tasses (1 litre) de pâtes non cuites en forme de tire-bouchon
ou 2 $\frac{1}{2}$ tasses (625 ml) de macaroni**

*Les champignons ajoutent du goût à cette recette.*

*Pour avoir un plat plus relevé, vous pouvez toujours ajouter un soupçon de sauce piquante.*

*Les pâtes en forme de tire-bouchon donnent un bel aspect à ce plat, mais si vous n'en avez pas, le macaroni fera aussi bien l'affaire.*

1. Dans une grosse casserole épaisse, faites brunir le bœuf haché. Enlevez tout le gras.
2. Ajoutez l'oignon haché à la viande et continuez la cuisson jusqu'à ce que l'oignon soit tendre. Ajoutez de l'eau si le mélange est trop sec. Ajoutez tous les autres ingrédients, sauf les pâtes. Laissez mijoter pendant 15 minutes.
3. Pendant la cuisson, plongez les pâtes dans une casserole d'eau bouillante. Une fois cuites, égouttez-les.
4. Ajoutez les pâtes cuites au mélange de viande. Laissez mijoter 5 minutes de plus.

Ce mets est servi avec un mélange de légumes et du chou à la vapeur. Vous pouvez assaisonner votre chou avec 1 c. à soupe (15 ml) de fromage à tartiner léger au lieu de beurre ou de margarine.

Pour dessert, prenez une portion de fruit frais.

| Menu du souper | Grand repas | Repas léger |
|---|---|---|
| Casserole de bœuf haché et de nouilles | 1 ³/₄ tasse (425 ml) | 1 ¹/₄ tasse (300 ml) |
| Légumes mélangés | 1 tasse (250 ml) | ³/₄ tasse (175 ml) |
| Chou | 1 tasse (250 ml) | 1 tasse (250 ml) |
| Margarine ou beurre | 1 c. à thé (5 ml) | ¹/₂ c. à thé (2 ml) |
| Raisins | 1 ¹/₄ tasse (300 ml) ou 33 raisins | 1 ¹/₄ tasse (300 ml) ou 33 raisins |

**REPAS LÉGER**

# Souper 25

# *Pizza*

Vous pouvez vous offrir une pizza au restaurant ou préparer celle-ci à la maison. Sur la photo, vous voyez une pizza à pâte épaisse. Une pâte mince contient moins de calories. Choisissez une pizza avec beaucoup de légumes, et n'abusez pas de la viande et du fromage.

Si vous préparez votre propre pizza à la maison, vous pouvez réduire la teneur en gras en choisissant de la viande et du fromage maigres et en mettant une grande quantité de vos légumes préférés. Voici une recette facile à préparer.

## Pizza maison

**Donne une pizza de 12 po (30 cm) ou 8 pointes moyennes**

**Une croûte de pizza de 12 po (30 cm), achetée à l'épicerie**

**1 tasse (250 ml) de sauce à pizza (voir l'encadré)**

**Légumes (champignons, poivrons, oignon, tomate, brocoli, courgette ou aubergine)**

**$^1/_2$ tasse (125 ml) d'ananas en morceaux**

**2 oz (60 g) de jambon, de saucisse ou de pepperoni en tranches**

**$^3/_4$ tasse (175 ml) de fromage râpé à moins de 20% de M.G., non tassé**

1. Recouvrez la pâte à pizza de sauce.
2. Ajoutez les légumes, l'ananas et la viande. Recouvrez de fromage.
3. Déposez la pizza sur une grille ou sur une plaque à pizza. Faites cuire à 350 °F (175 °C), jusqu'à ce que le fromage forme des bulles.

*Sauce à pizza:*
*Mélangez ensemble le contenu d'une boîte de 14 oz (398 ml) de sauce tomate, $^1/_2$ c. à thé (2 ml) d'origan et $^1/_2$ c. à thé (2 ml) de poudre d'ail.*

***P****our une pizza plus relevée, ajoutez:*
- *1 petit oignon (finement haché)*
- *1 gousse d'ail hachée (au lieu de poudre d'ail)*
- *$^1/_2$ branche de céleri hachée*
- *une pincée de cannelle moulue et de clou de girofle moulu*

***V****ous pouvez également faire des mini pizzas sur des moitiés de pains à hamburger.*

Servez la pizza avec une salade et un verre de boisson gazeuse diététique (voir photo) ou un petit verre de jus de tomate. N'oubliez pas de boire de l'eau.

Pour dessert, prenez un fruit.

## Quelques conseils si vous mangez au restaurant :

- Commencez par une salade, un consommé ou une soupe aux légumes. Les fast-foods offrent maintenant des salades à leur menu.
- Demandez qu'on vous serve une vinaigrette faible en gras à part.
- Comme collation, mangez un fruit ou un légume frais avant d'aller au restaurant. Vous aurez ainsi moins faim et vous éviterez de trop manger.
- Il est préférable de choisir ce que vous allez manger avant d'arriver au restaurant. Il est encore mieux de décider d'avance ce que vous ne voulez pas manger.
- N'hésitez pas à demander qu'on vous prépare les aliments à votre goût. Par exemple, si vous commandez un sandwich, demandez qu'on ne mette pas de beurre.
- Si vos portions sont trop grosses, demandez qu'on vous emballe les restes et apportez-les à la maison.

| Menu du souper | Grand repas | Repas léger |
|---|---|---|
| Pizza de 12 po (30 cm) | 2 pointes moyennes | 1 grande pointe |
| Salade | grande | grande |
| Vinaigrette sans huile | 1 c. à soupe (15 ml) | 1 c. à soupe (15 ml) |
| Boisson gazeuse diététique | grande | grande |
| Nectarine | 1 | 1 |

REPAS LÉGER

# *Sandwich de poulet grillé et frites*

Oui, vous pouvez encore manger dans les fast-foods – à l'occasion. La plupart des aliments servis dans ce genre de restaurants sont riches en gras.

Comme les frites sont très populaires dans ces restaurants, elles font partie de ce repas, mais choisissez une petite portion seulement.

Si vous préparez ce repas à la maison, vous avez le choix entre des frites sans gras au four (page 138), des frites congelées au four ou une pomme de terre au four.

Au lieu de commander une poitrine de poulet grillée sur petit pain (comme sur la photo), vous pouvez choisir :

- une petite portion de six croquettes de poulet avec sauce
- un hamburger au poisson
- un hamburger au fromage.

Ce repas comporte une salade assaisonnée d'une vinaigrette légère. Le repas léger ne comporte pas de salade à cause des calories (voir l'encadré). Au restaurant, le meilleur choix est une salade sans vinaigrette ou avec la moitié d'un sachet de vinaigrette légère (à base de vinaigre).

Comme ce repas contient plus de gras que les autres repas, aucun dessert n'est prévu avec le repas léger.

Buvez de l'eau et une boisson gazeuse diététique, si vous préférez.

Essayez de couper le lait et le sucre avec votre café ou votre thé, ou réduisez-en la quantité.

*Vinaigrettes:*
- *Certaines vinaigrettes « légères » servies au restaurant sont encore trop riches en calories. Un petit sachet peut contenir jusqu'à 60 calories. Lisez bien l'étiquette.*

- *Un sachet de vinaigrette « ordinaire » servie au restaurant peut contenir 200 calories.*

| Menu du souper | Grand repas | Repas léger |
|---|---|---|
| Sandwich de poulet grillé | 1 | 1 |
| Frites | 1 petite portion | 1 petite portion |
| Ketchup | 1 c. à soupe (15 ml) | 1 c. à soupe (15 ml) |
| Salade | 1 petite | 1 petite (facultatif) |
| Vinaigrette légère | 1 sachet | – |
| Boisson gazeuse diététique | grande | grande |
| Cornet au yogourt glacé | 1 petit | – |

REPAS LÉGER

# SOUPER 27

# *Sauté à la chinoise*

*Mettez le riz à cuire avant de commencer à faire frire les légumes et la viande.*

*Suggestions de protéines*
*Vous pouvez remplacer la viande rouge, le poulet ou le poisson par:*

- *5 oz (150 g) de restes de poulet, de viande ou de poisson cuit*
- *7 oz (210 g) de crevettes (23 crevettes géantes)*
- *½ tasse (125 ml) de tofu ferme (en morceaux)*
- *28 amandes*

*Après avoir coupé la viande crue, lavez votre couteau et votre planche à découper à l'eau chaude savonneuse.*

*Pour préparer ce plat à la chinoise à la maison, ne mettez pas de gras (ou très peu) dans la casserole, la poêle anti-adhésive ou le wok. Utilisez une casserole suffisamment grande pour contenir tous les légumes.*

## Sauté à la chinoise

**Donne 4 tasses (1 litre) ou 2 grosses portions**

**¾ tasse (6 oz) ou 175 ml (180 g) de viande rouge maigre, de poulet ou de poisson (finement tranché)**

**1 sachet de mélange pour bouillon de poulet ou de bœuf**

**2 c. à soupe (30 ml) d'eau**

**1 petit oignon**

**1 ou 2 gousses d'ail hachées**

**4 à 6 tasses (1 à 1,5 litre) de légumes variés en morceaux**

**2 c. à thé (10 ml) de fécule de maïs**

**¼ tasse (60 ml) d'eau froide**

**1 c. à soupe (15 ml) de sauce soya**

**¼ c. à thé (1 ml) de gingembre moulu**

1. Hachez ou tranchez l'oignon, l'ail et les légumes. Habituellement, je place dans un même bol les légumes qui demandent le plus de cuisson, comme les carottes et le brocoli, puis dans un autre bol, ceux qui cuisent plus vite, comme les fèves germées. Mettez les bols de légumes de côté.
2. Placez la viande crue (ou un autre choix de protéines) dans le wok ou une poêle à frire non chauffée. Saupoudrez la viande du mélange pour bouillon et mêlez bien. Ajoutez 2 c. à soupe (30 ml) d'eau. Chauffez le wok ou la poêle et faites cuire pendant environ 3 minutes. Si vous utilisez un reste de viande déjà cuite, vous n'avez pas besoin de la faire cuire à nouveau.
3. Ajoutez les oignons, l'ail et les légumes que vous avez mis dans le premier bol. Faites cuire à feu élevé en remuant pendant 5 à 10 minutes jusqu'à ce que les légumes soient cuits. Ajoutez maintenant les légumes du deuxième bol.
4. Dans un petit bol, mélangez la fécule de maïs, l'eau froide, la sauce soya et le gingembre. Versez ce mélange dans le wok. Continuez la cuisson pendant une minute ou deux.

Il est préférable d'utiliser des légumes frais pour cette recette, mais les légumes congelés ou en conserve font aussi l'affaire. Voici un choix de légumes:

- pousses de bambou (en conserve)
- brocoli (en morceaux)
- carottes ou céleri (en tranches)
- champignons (tranchés)
- chou (râpé)
- chou-fleur (en morceaux)
- fèves germées
- maïs miniatures (en conserve)
- oignons verts (hachés)
- petits pois congelés ou pois mange-tout frais
- poivrons verts (en lamelles)

Ce repas comprend un consommé de bœuf et des craquelins (biscuits soda). Si vous mangez au restaurant chinois, commencez par le consommé.

Mangez beaucoup de plats de légumes faibles en calories. Vous pouvez assaisonner votre riz avec un peu de sauce soya. Le riz frit est riche en gras. Au restaurant, prenez une petite quantité de riz frit avec votre sauté.

Évitez les aliments panés préparés en grande friture et servis avec une sauce sucrée.

Un biscuit chinois constitue un bon dessert. En plus, vous connaîtrez votre avenir. Bonne chance!

| Menu du souper | Grand repas | Repas léger |
|---|---|---|
| Bouillon de bœuf | 1 tasse (250 ml) | 1 tasse (250 ml) |
| Sauté à la chinoise | 2 tasses (500 ml) | 1 $\frac{1}{2}$ tasse (375 ml) |
| Riz blanc | 1 $\frac{1}{4}$ tasse (300 ml) | $\frac{3}{4}$ tasse (175 ml) |
| Lait écrémé ou 1% | 1 tasse (250 ml) | 1 tasse (250 ml) |
| Poire | 1 | 1 |
| Biscuits chinois | 2 | 2 |

SOLUTIONS WILL COME TO YOU WHILE YOU ARE WALKING.

REPAS LÉGER

# Sandwich Denver et soupe

Au restaurant, une soupe et un sandwich constituent un excellent repas léger. Vous avez le choix entre un sandwich Denver, un club ou un sandwich bacon, laitue et tomate. Demandez qu'on ne mette ni beurre ni mayonnaise sur le pain ou demandez qu'on en mette très peu. Évitez les frites. Si vous voulez vous préparer un sandwich Denver à la maison, voici la recette.

## Sandwich Denver

**Donne un sandwich**

**1 tranche de 1 oz (30 g) de bacon ou de jambon**

**2 œufs**

**1 c. à soupe (15 ml) de persil, d'oignons verts, d'oignon ou de ciboulette (haché)**

**Poivre au goût**

**2 rôties beurrées avec ½ c. à thé (2 ml) de beurre, de margarine ou de mayonnaise, ou encore avec 1 c. à thé (5 ml) de mayonnaise légère**

**Laitue**

1. Hachez le bacon et faites-le frire. Enlevez tout le gras et mettez les morceaux de bacon sur une serviette de papier pour absorber le gras. Si vous utilisez du jambon haché au lieu du bacon, vous n'avez pas besoin de le faire cuire.
2. Dans un petit bol, battez les œufs à la fourchette. Ajoutez le bacon ou le jambon ainsi que le persil ou les oignons verts.
3. Faites cuire dans une poêle anti-adhésive sans gras. Remuez de temps en temps.
4. Déposez le mélange aux œufs sur une rôtie.
5. Complétez votre sandwich avec de la laitue ou d'autres légumes.

Si vous n'avez pas le goût d'une soupe aux tomates, commandez une soupe aux légumes ou un verre de jus de tomate. Les crèmes de champignons ou de pois verts sont les soupes les plus riches en calories. N'en abusez pas.

Les craquelins suivants contiennent à peu près le même nombre de calories :
- 1 bâtonnet de pain
- 2 craquelins (biscuits soda)
- 1 croustipain
- 2 biscottes Melba
- 1 craquelin (de type Ritz)

Ce repas ne comporte pas de dessert. Si vous désirez terminer votre repas par un petit fruit, ne prenez pas de bâtonnets de pain. Vous pouvez aussi choisir un dessert très faible en calories comme une gélatine légère ou un Popsicle sans sucre acheté à l'épicerie.

| Menu du souper | Grand repas | Repas léger |
|---|---|---|
| Soupe aux tomates (faite avec de l'eau) | 1 tasse (250 ml) | 1 tasse (250 ml) |
| Bâtonnet de pain | 1 ½ | 1 ½ |
| Sandwich Denver | 1 ½ sandwich | 1 sandwich |
| Salade | grande | grande |
| Vinaigrette sans huile | 1 c. à soupe (15 ml) | 1 c. à soupe (15 ml) |

REPAS LÉGER

# SOUPER 29

# *Brochettes*

*En grec, une brochette se dit souvlaki et elle ne comporte que de la viande. En général, elle est bien imbibée d'huile d'olive et contient beaucoup de calories.*

Dans un restaurant grec ou du Moyen-Orient, choisissez des brochettes: c'est le mets le moins riche en gras. À la maison, essayez cette recette sans huile.

## Marinade pour brochettes

**Donne une quantité suffisante pour 2 brochettes**

**2 c. à soupe (30 ml) de vinaigrette italienne faible en gras**

**1 c. à soupe (15 ml) de jus de citron**

**2 gousses d'ail écrasées ou finement hachées
ou $\frac{1}{2}$ c. à thé (2 ml) de poudre d'ail**

**$\frac{1}{4}$ c. à thé (1 ml) de poivre**

**$\frac{1}{2}$ c. à thé (2 ml) d'origan**

**1 c. à thé (5 ml) de sucre**

Mélangez tous les ingrédients dans un bol.

*Cette recette peut également être préparée avec des morceaux d'agneau ou de chèvre (comme on les prépare souvent en Grèce), du poulet ou du poisson.*

## Brochettes

Pour chaque brochette, vous aurez besoin des ingrédients suivants:

**Viande — cubes de 4 cm (1 $\frac{1}{2}$ po) de bœuf maigre**
Pour le grand repas: 4 cubes — 6 oz (180 g) de viande crue
Pour le repas léger: 3 cubes — 4 oz (120 g) de viande crue
**Légumes**
Tomates cerises, champignons frais entiers, poivrons verts en morceaux, petits oignons entiers (ou en morceaux), courgettes, aubergines ou tout autre légume au choix.

*En ajoutant des légumes à vos brochettes, vous réduisez le nombre de calories parce que vous ne mangez pas que de la viande.*

1. Faites mariner la viande au réfrigérateur pendant environ deux heures.
2. Disposez la viande et les légumes sur des brochettes, comme sur la photo. À l'aide d'un pinceau, enrobez-les de marinade. Si vous aimez votre viande bien cuite, faites griller les brochettes sur le barbecue pendant 5 minutes avant d'ajouter les légumes.
3. Faites griller les brochettes sur le barbecue de 5 à 10 minutes ou jusqu'à ce qu'elles soient cuites.

Pour varier, ajoutez 1 c. à soupe (15 ml) de sauce tomate sur votre riz cuit (voir la page 190).

La salade grecque se compose de tomates, d'oignon, de poivron vert, de feta et d'olives noires. Vous pouvez aussi ajouter de la laitue. La salade traditionnelle grecque est faite avec une grande quantité d'huile d'olive. Voici une recette sans huile.

## Salade grecque

**Donne deux grosses salades**

**2 grosses tomates coupées en quartiers**

**½ oignon moyen, tranché**

**½ poivron vert en morceaux**

**½ petit concombre**

**¼ tasse (60 ml) de feta, en miettes ou en morceaux**

**4 olives noires**

**2 c. à soupe (30 ml) de vinaigrette italienne sans huile**

**Origan**

1. Mélangez les tomates, l'oignon, le poivron vert, le concombre, la feta et les olives.
2. Avant de servir, ajoutez la vinaigrette et saupoudrez d'origan.

**Pour terminer ce repas, voici un dessert faible en gras:**
Une pomme saupoudrée d'un soupçon de cannelle et de sucre à glacer. Vous pouvez remplacer la pomme par une orange, la moitié d'un cantaloup, du melon ou des raisins.

*Si vous prenez ce repas au restaurant, n'oubliez pas de demander qu'on vous serve la vinaigrette à part.*

| Menu du souper | Grand repas | Repas léger |
|---|---|---|
| Brochettes | 1 avec 4 cubes de bœuf | 1 avec 3 cubes de bœuf |
| Riz | ³/₄ tasse (175 ml) | ³/₄ tasse (175 ml) |
| Salade grecque avec vinaigrette | 1 grande | 1 grande |
| Petit pain croustillant | 1 | — |
| Margarine | 1 c. à thé (5 ml) | — |
| Pomme à la cannelle | ½ pomme de 3 po (7,5 cm) avec ½ c. à thé (2 ml) de sucre à glacer et de la cannelle | ½ pomme de 3 po (7,5 cm) avec ½ c. à thé (2 ml) de sucre à glacer et de la cannelle |

REPAS LÉGER

# SOUPER 30

# *Rotis au cari*

*Les rotis et les chapatis sont des galettes indiennes faites avec de la farine et de l'eau. Deux chapatis équivalent à un roti. On trouve des rotis et des chapatis prêts à manger dans des restaurants ou des magasins indiens ou antillais.*

*Si vous ne pouvez pas vous procurer de rotis ou de chapatis, vous pouvez les remplacer par deux pains pita ou deux tortillas. Une tasse et demie (375 ml) de riz remplace également un roti.*

*Dans les Antilles, les rotis sont servis avec une farce au cari composée de viande, de poulet ou de fèves et de pommes de terre. Les plats au cari sont parfois accompagnés de rotis.*

*Voici deux façons de servir le concombre:*
*Tranchez-le finement et mettez les tranches dans un bol avec:*
1. *du yogourt nature écrémé assaisonné de menthe ou d'un soupçon de paprika*
2. *ou encore du vinaigre, du jus de citron ou de la lime.*

## Farce de pois chiches et de pommes de terre au cari

**Donne 3 tasses (750 ml), ce qui est suffisant pour six rotis**

¼ tasse (60 ml) d'eau

1 c. à thé (5 ml) d'huile végétale

1 oignon moyen, haché

2 gousses d'ail finement hachées ou broyées

1 c. à soupe (15 ml) de poudre de cari (douce ou forte)

Un soupçon de sauce piquante ou de poudre de chili

2 petites pommes de terre cuites et coupées
en petits morceaux

1 boîte de 19 oz (540 ml) de pois chiches dans leur jus

1. Faites chauffer l'eau et l'huile dans une casserole épaisse et ajoutez l'oignon, l'ail, la poudre de cari et la sauce piquante. Laissez mijoter à feu doux jusqu'à ce que l'oignon soit tendre.
2. Ajoutez les pommes de terre cuites et les pois chiches avec leur jus et continuez la cuisson pendant une demi-heure. Laissez refroidir et conservez au réfrigérateur jusqu'au lendemain.

**Pour faire les rotis**
Le lendemain, faites réchauffer la farce et déposez ½ tasse (125 ml) de farce au milieu de chaque roti. Repliez un bord sur la farce, puis l'autre. Pliez les bouts vers le centre pour faire un beau chausson. Déposez les chaussons sur une plaque, les plis en dessous. Faites cuire au four à micro-ondes à température élevée pendant trois à quatre minutes ou dans un four chaud pendant une demi-heure.

Ce plat est servi avec des bâtonnets de carotte et de concombre. Le grand repas comporte aussi du plantain. Le plantain ressemble à une banane verte (voir la photo). Mais contrairement à la banane, il faut le faire cuire avant de le manger. Le plantain est mûr lorsque sa pelure commence à noircir. Vous pouvez alors le couper en lamelles et le faire bouillir jusqu'à ce qu'il soit tendre. Ensuite, enduisez-le légèrement de margarine à l'aide d'un pinceau et faites-le rôtir ou griller au four. Vous pouvez également le faire bouillir d'abord, puis le faire cuire dans une poêle anti-adhésive. Ce légume contient de l'amidon (comme le maïs et les pommes de terre).

Pour terminer ce repas, servez des meringues à la noix de coco qui contiennent du sucre, mais pas de gras. Ce dessert est donc faible en calories. Deux meringues contiennent à peu près la même quantité de sucre et de calories qu'une petite portion de fruit.

## Meringues à la noix de coco

**Donne 28 meringues de 2 po (5 cm)**

**1 tasse (250 ml) de sucre**

**¼ c. à thé (1 ml) de crème de tartre**

**4 blancs d'œufs, à température de la pièce (jetez les jaunes)**

**½ c. à thé (2 ml) d'essence de noix de coco**

**1 c. à soupe (15 ml) de noix de coco non sucrée (facultatif)**

1. Dans un petit bol, mélangez le sucre et la crème de tartre.
2. Battez les blancs d'œufs jusqu'à ce qu'ils soient fermes. Ajoutez graduellement le mélange de sucre et de crème de tartre, puis continuez de battre jusqu'à ce que le mélange forme des pics fermes. Incorporez l'essence de noix de coco tout en battant.
3. Déposez des cuillerées du mélange sur deux plaques à biscuits non graissées. Saupoudrez les meringues de noix de coco. Faites cuire à 200 °F (90 °C) pendant deux heures. Après une heure et demie, vérifiez si elles sont prêtes. Elles doivent être sèches lorsque vous les piquez avec une brochette ou un cure-dent. Lorsqu'elles sont prêtes, éteignez le four et laissez-les reposer pendant deux heures de plus.
4. Une fois refroidies, rangez-les dans un pot à biscuits ou dans un contenant en plastique.

| Menu du souper | Grand repas | Repas léger |
|---|---|---|
| Roti aux pommes de terre et haricots | 1 roti | 1 roti |
| Plantain rôti — enduit légèrement de ½ c. à thé (5 ml) de margarine | ½ | — |
| Bâtonnets de carotte | 1 carotte moyenne | ⅓ carotte moyenne |
| Concombre (dans du yogourt) | ½ concombre moyen et 2 c. à soupe (30 ml) de yogourt | ½ concombre moyen |
| Meringues à la noix de coco | 2 | 1 |

REPAS LÉGER

# SOUPER 31

# *Poulet tandoori et riz*

C'est pendant mon séjour au Kenya que j'ai fait la merveilleuse découverte du poulet tandoori. C'est un mets délicieux, juste assez épicé. Le poulet est enrobé d'une sauce épicée faible en gras, puis cuit au four ou sur le barbecue. On le mange avec du riz.

## Poulet tandoori avec sauce

**Donne 5 grosses portions ou 8 petites**

**Sauce :**

**1 ¹/₂ tasse (375 ml) de yogourt nature écrémé (blanc)**

**4 ¹/₂ c. à thé (22 ml) de mélange à épices indiennes que l'on trouve dans le commerce**

**4 ¹/₂ c. à thé (22 ml) de vinaigre**

**4 ¹/₂ c. à thé (22 ml) de jus de citron**

**2 ¹/₂ lb (1 kg) de poulet en morceaux sans peau**

1. Dans un grand bol ou dans une casserole, mélangez tous les ingrédients de la sauce.
2. Coupez le poulet en morceaux assez petits pour qu'ils absorbent le goût du yogourt. Ajoutez les morceaux de poulet dans le bol ou la casserole en vous assurant qu'ils sont bien enrobés de sauce. Couvrez et placez au réfrigérateur pendant au moins 4 heures ou jusqu'au lendemain.
3. Secouez délicatement les morceaux de poulet pour enlever le surplus de sauce et faites-les griller sur le barbecue ou au four sur une grille placée sur une lèchefrite, à environ 5 po (13 cm) sous l'élément. Faites-les cuire pendant 10 à 15 minutes de chaque côté jusqu'à ce qu'ils soient bien cuits.
4. Mettez le surplus de sauce dans une petite casserole à fond épais et amenez à ébullition pendant 5 minutes. Donnez à chaque personne un petit plat de sauce pour qu'elle y plonge le poulet ou en assaisonne le riz.

*Cette recette est aussi délicieuse si vous remplacez le mélange d'épices indiennes par du cari en poudre. Dans ce cas, la sauce prendra une couleur dorée. Le mélange d'épices indiennes donne une sauce plutôt rougeâtre.*

*Le poulet tandoori peut être servi avec :*
- *du riz, comme sur la photo (le riz basmati, que l'on trouve dans la plupart des grands supermarchés, est mon préféré)*
- *un pain naan – c'est un pain au levain que l'on peut acheter frais dans certains grands supermarchés ou restaurants*
- *un chapati, soit une galette de pain de l'Inde qui ressemble au roti.*

*Il est important de faire bouillir la sauce pendant 5 minutes, car le poulet cru peut contenir de nombreuses bactéries. En portant la sauce à ébullition avant de la servir, on évitera les intoxications alimentaires.*

Pour terminer ce repas en beauté, servez une portion de fruit tropical, par exemple, de la mangue ou de la papaye.

Avec ce repas, servez une tisane ou du thé ordinaire, ou encore essayez ce thé indien aux épices.

## Thé indien aux épices

**Donne 5 tasses (1,25 litre)**

**2 sachets de thé**

**6 graines de cardamome**

**1 bâton de cannelle de 3 po (7,5 cm)**

**1 c. à thé (5 ml) de jus de citron**

**5 tasses (1,25 litre) d'eau bouillante, soit le contenu d'une théière**

**½ tasse (125 ml) de lait chaud par portion**

1. Mettez le thé, la cardamome, la cannelle et le jus de citron dans votre théière. Remplissez-la d'eau bouillante et laissez infuser pendant 5 minutes. Retirez les sachets de thé, la cardamome et la cannelle de la théière.
2. Servez le thé avec une égale quantité de lait écrémé chaud et, si vous le désirez, 1 c. à thé (5 ml) de sucre, de miel ou d'édulcorant hypocalorique.

*Pappadams:*
*Si vous n'avez jamais mangé de pappadams, vous ne savez pas ce que vous manquez! On les trouve dans les grands supermarchés et dans les épiceries spécialisées. Ce sont des galettes rondes de 5 à 7 po (13 à 18 cm) plus ou moins épicées. Tout ce que vous avez à faire, c'est de les faire griller au four; au bout d'une minute ou deux, elles se mettront à former des bulles et à brunir. Faites-les griller des deux côtés. Ou encore, passez-les rapidement sous le robinet pour les humecter, puis mettez-les au four à micro-ondes à température élevée pendant environ 40 secondes. Ces galettes croquantes sont délicieuses avec un plat au cari ou comme collation.*

| Menu du souper | Grand repas | Repas léger |
|---|---|---|
| Poulet tandoori | 1 grosse cuisse | 1 petite cuisse |
| Sauce tandoori | 4 c. à soupe (60 ml) | 2 c. à soupe (30 ml) |
| Riz (basmati) | 1 tasse (250 ml) | ¾ tasse (175 ml) |
| Laitue avec tomate et concombre | ½ tomate moyenne et concombre tranché | ½ tomate moyenne et concombre tranché |
| Pappadams | 2 | 2 |
| Mangue | ½ | ½ |
| Thé épicé indien | 1 tasse (250 ml) | 1 tasse (250 ml) |

REPAS LÉGER

# Collations

# Collations

Dans cette partie, vous trouverez les photos de quatre groupes de collations. Ces groupes sont: les collations faibles en calories, les petites collations, les collations moyennes et les grosses collations. Les collations d'un même groupe contiennent environ le même nombre de calories. Choisissez vos collations en fonction du nombre de calories que vous voulez prendre quotidiennement. Le tableau de la page 49 indique le nombre de calories contenues dans les repas légers et les grands repas ainsi que dans les diverses collations.

**Il est préférable de se limiter à trois petites, moyennes ou grosses collations par jour.**

Trois petites collations totalisent 150 calories, trois moyennes, 300 calories et trois grosses, 600 calories.

---

## Collations faibles en calories:

- Ces collations contiennent seulement 20 calories ou moins. Elles sont composées d'aliments qui ne font pas grossir. Si vous en consommez quelques-uns par jour, votre poids ne devrait pas s'en ressentir. Vous pouvez les ajouter à vos repas ou à vos collations.

---

## Petites collations:

- Ces collations contiennent 50 calories.

---

## Collations moyennes:

- Ces collations contiennent 100 calories.
- Deux petites collations équivalent à une collation moyenne.

---

*Rappelez-vous:*
- *1 collation moyenne = 2 petites collations*
- *1 grosse collation = 2 collations moyennes ou 4 petites.*

## Grosses collations:

- Ces collations contiennent 200 calories.
- Deux collations moyennes, ou quatre petites, équivalent à une grosse collation.

N'oubliez jamais de boire de l'eau avec vos collations. Et évitez de les prendre tard le soir.

Variez vos collations pour ne pas vous lasser des mêmes aliments. Si vous prenez une collation entre les repas, vous aurez moins faim à l'heure du repas. Tout comme les repas, la plupart des collations sont faibles en gras et en sucre. Une collation composée d'un produit laitier constitue une source importante de calcium ; un muffin au son vous procurera des fibres, et un fruit, des vitamines.

Et les bonbons, le chocolat, les croustilles et les autres aliments riches en gras et en sucre ? Il est permis d'en consommer de temps à autre, mais en petite quantité. Évitez cependant d'en manger tous les jours, car ils contiennent beaucoup de calories et sont très peu nutritifs. Sur les photos des pages 224 à 229, ces aliments sont inclus dans les collations que l'on peut prendre à l'occasion. Les boissons alcoolisées font également partie de ce genre de collations. N'oubliez pas que les boissons alcoolisées sont déconseillées avec certains médicaments (voir page 35).

Les collations illustrées sur la photo d'un même groupe contiennent à peu près le même nombre de calories. Cependant, leur contenu en sucre, en amidon, en protéines ou en gras varie.

**Sur les photos des petites, moyennes et grosses collations vous trouverez, pour chaque groupe :**
- des collations riches en amidon, c'est-à-dire, principalement composées d'amidon
- des collations composées de fruits et de légumes et contenant des sucres naturels
- des collations à base de produits laitiers et contenant du lactose et des protéines ; certaines peuvent aussi contenir du gras
- des collations mixtes, composées d'aliments appartenant à différents groupes alimentaires, par exemple, un féculent et des protéines
- des collations occasionnelles, riches en sucre ou en gras, ou contenant de l'alcool.

*Si vous êtes diabétique et prenez de l'insuline ou des comprimés pour le diabète, lisez bien ceci : une collation en soirée renfermant des protéines et des glucides vous aidera à prévenir une baisse de sucre dans le sang durant la nuit. Parlez-en à votre médecin ou à votre diététiste.*

# Collations faibles en calories

## 20 calories ou moins par collation

### Boissons

1. eau : l'eau est la collation faible en calories par excellence
2. des boissons gazeuses diététiques et mélanges à boissons diététiques en sachets
3. tisane
4. café ou thé (ordinaire ou décaféiné) ; prenez votre café ou votre thé noir, ou ajoutez-y une petite quantité de lait écrémé, de lait écrémé en poudre ou de colorant à café léger. Supprimez le sucre en le remplaçant par un édulcorant hypocalorique
5. bouillon ; recherchez les produits faibles en sel

### Ajouts aux repas ou aux collations

6. édulcorants hypocaloriques
7. assaisonnements (poudre de cacao, épices, herbes)
8. 1 c. à thé (5 ml) de moutarde, de relish ou de ketchup
9. sauce piquante
10. vinaigre
11. 1 c. à soupe (15 ml) de salsa
12. 1 c. à thé (5 ml) de miel, de confiture, de gelée ou de sirop (la confiture légère et le sirop léger contiennent moins de sucre)
13. 1 c. à soupe (15 ml) de son ; ajouté aux céréales, aux soupes et aux ragoûts, le son vous fournit des fibres supplémentaires
14. 1 c. à soupe (15 ml) de garniture fouettée ou congelée ou 1 c. à soupe (15 ml) de crème sure légère ou 2 c. à soupe (30 ml) de crème sure sans gras
15. 1 c. à soupe (15 ml) de vinaigrette sans huile

## Autres collations

16. ¼ tasse (60 ml) de choucroute

17. 1 tasse (250 ml) de légumes verts

18. 1 craquelin (biscuit soda)

19. ½ tasse (125 ml) de salade de légumes en gelée (voir la recette à la page 139)

20. ½ tomate

21. ½ tasse (125 ml) de gélatine légère

22. une gomme à mâcher sans sucre ou ordinaire

23. un bonbon à la menthe ou un autre bonbon dur

24. plusieurs mini-menthes

25. 1 Popsicle sans sucre

26. 2 olives vertes

27. 3 radis

28. 1 cornichon

29. citron et lime

30. 1 branche de céleri

31. la moitié d'un concombre

# Petites collations

**50 calories par collation**

## Légumes

Ayez toujours au réfrigérateur des légumes crus lavés et prêts à manger. Rangez-les toujours à portée de la main.

1. ¾ tasse (175 ml) de salade de chou (page 80)
2. 1 branche de céleri et 1 c. à soupe (15 ml) de fromage à tartiner
3. 1 grosse salade assaisonnée de 1 c. à soupe (15 ml) de vinaigrette sans huile
4. 1 carotte moyenne
5. 1 tasse (250 ml) de tomates en conserve

## Fruits

6. 1 tasse (250 ml) de fraises
7. 1 petite orange
8. ½ pamplemousse
9. ½ pomme
10. 1 prune moyenne
11. 1 kiwi moyen
12. 2 pruneaux ou figues
13. 2 c. à soupe (30 ml) de raisins secs
14. 1 morceau de banane — long de 2 po (5 cm)
15. ¾ tasse (175 ml) de gélatine aux fruits légère (page 183)
16. ¾ tasse (175 ml) de compote de rhubarbe (page 107) ou de framboises fraîches

## Jus

17. 1 tasse (250 ml) de jus de tomate ou de légumes
18. ½ tasse (125 ml) de jus de fruits non sucré (essayez de mélanger votre jus avec de l'eau gazéifiée ou du soda gingembre diététique)

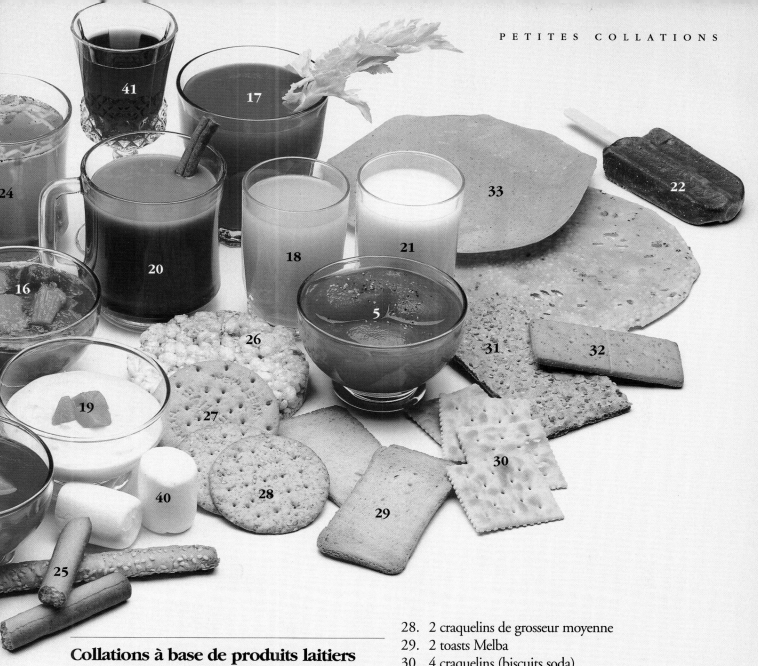

## Collations à base de produits laitiers

19. ½ tasse (125 ml) de yogourt aux fruits léger, sucré avec édulcorant hypocalorique
20. 1 tasse (250 ml) de chocolat chaud léger
21. ½ tasse (125 ml) de lait (écrémé ou 1 %)
22. 1 barre de fudge glacé, un Revello ou une barre de crème glacée faible en calories (sucré avec un édulcorant hypocalorique)

## Collations riches en amidon

23. 1 tasse (250 ml) de céréales de blé soufflé
24. 1 tasse (250 ml) de soupe en conserve
25. 2 bâtonnets de pain
26. 1 galette de riz
27. 1 biscuit digestif ou autre biscuit sec

28. 2 craquelins de grosseur moyenne
29. 2 toasts Melba
30. 4 craquelins (biscuits soda)
31. 1 croustipain avec fibres
32. 2 moitiés de biscuit Graham
33. 2 pappadams

## Collations occasionnelles

34. 1 biscuit aux brisures de chocolat
35. 1 biscuit aux figues
36. ¼ tasse (60 ml) de mini-craquelins en forme de poisson ou 21 craquelins
37. 3 bonbons durs à la menthe
38. 5 Lifesavers
39. 1 petit chocolat
40. 2 guimauves
41. 3 oz (90 ml) de vin sec

# Collations moyennes

**100 calories par collation**
**(deux petites collations de la photo du groupe précédent équivalent à une moyenne)**

## Légumes

1. 2 à 3 tasses (500 à 750 ml) de légumes crus accompagnés de 2 c. à soupe (30 ml) de trempette aux légumes (page 171)

## Fruits

2. ½ cantaloup moyen
3. 1 tasse (250 ml) de compote de pommes
4. 4 tranches d'ananas et 2 c. à soupe (30 ml) de jus
5. 1 petite banane
6. 3 figues
7. 5 abricots séchés
8. 1 poire
9. 1 tasse (250 ml) de salade de fruits frais
10. 4 tranches minces de melon d'eau
11. 1 ½ tasse (375 ml) de raisins frais

## Collations riches en amidon

12. 1 tranche de pain aux raisins tartinée de 1 c. à thé (5 ml) de margarine
13. 3 biscuits à l'arrowroot ou autres biscuits secs
14. 6 bretzels
15. 1 gaufre ou 1 crumpet recouvert de 1 c. à thé (5 ml) de confiture
16. 3 tasses (750 ml) de maïs soufflé (appareil à air chaud)
17. 1 petit pain de blé entier, accompagné de concombre, de laitue et de tomate
18. ⅓ d'un paquet de 80 grammes de nouilles orientales
19. 1 tranche de pain azyme

20. 8 croustilles de tortilla ou autres croustilles cuites, non frites, accompagnées de 1 c. à soupe (15 ml) de salsa

## Collations mixtes

21. ½ petite pizza à hors-d'œuvre
22. 1 rôtie recouverte de 1 c. à thé (5 ml) de beurre d'arachide
23. ½ tasse (125 ml) de fromage cottage (1 %) et ½ tomate
24. 1 tasse (250 ml) de tomates en conserve et de 2 c. à soupe (30 ml) de fromage râpé
25. ⅔ tasse (150 ml) de céréales Cheerios et ½ tasse (125 ml) de lait écrémé ou 1 %

26. ½ tasse (125 ml)
    de lait 1 % avec
    2 biscuits au
    gingembre
27. 8 grosses
    crevettes
    accompagnées
    de 2 c. à soupe
    (30 ml) de sauce
    cocktail pour crevettes
28. 4 craquelins (biscuits soda) et
    ½ oz (15 g) d'édam
29. 2 craquelins de blé recouverts de 1 c. à
    soupe (15 ml) de fromage à la crème léger

## Collations à base de produits laitiers

30. 1 tasse (250 ml) de lait écrémé ou 1 % (ou de babeurre)
31. ¾ tasse (175 ml) de pouding léger (vous pouvez en
    faire une délicieuse sucette glacée)
32. ¾ tasse (175 ml) de yogourt léger

## Collations occasionnelles

33. 1 portion de mousse au chocolat
    (page 119) et ½ gaufrette
34. 1 carré de riz croquant avec guimauve de
    3 x 2 po (7,5 x 5 cm)
35. 1 barre granola tendre, faible en matières grasses
36. 1 bière légère (12 oz ou 355 ml)
37. 1 ½ oz (45 g) de rye, gin, rhum, scotch ou autre boisson
    alcoolisée (avec de l'eau ou une boisson gazeuse diététique)
38. 1 morceau de gâteau des anges
39. 2 ½ bâtons de réglisse
40. 10 bonbons à la gelée
41. 3 morceaux de chocolat (20 grammes au total)

# Grosses collations

**200 calories par collation**
**(deux collations moyennes de la photo du groupe précédent équivalent à une grosse)**

## Collations mixtes

1. Bol de légumes et craquelins: 2 tasses (500 ml) de n'importe quel légume cru avec 3 croustipains, 2 bâtonnets de pain et 3 c. à soupe (45 ml) de trempette aux légumes (page 171).

2. 2 rôties recouvertes de 1 c. à thé (5 ml) de beurre ou de margarine et de 2 c. à thé (10 ml) de confiture

3. 1 tasse (250 ml) de crème de blé chaude et $^3/_4$ tasse (175 ml) de lait écrémé ou 1 %

4. 1 pointe de tarte à la citrouille sans croûte (page 159), recouverte de 2 c. à soupe (30 ml) de garniture fouettée

5. 1 petit cornet garni de $^3/_4$ tasse (175 ml) de crème glacée légère

6. 1 muffin au son (page 64) et $^1/_2$ oz (15 g) de fromage

7. 1 morceau de pain bannock (page 115) recouvert de 1 c. à thé (5 ml) de confiture

8. 16 arachides en écale

9. 1 tranche de pain de seigle noir (pumpernickel) recouverte de 1 c. à thé (5 ml) de margarine et de 1 $^1/_2$ oz (45 g) de hareng mariné

10. 1 tasse (250 ml) de lait écrémé, 1 % ou de babeurre et trois biscuits secs

11. 1 tasse (250 ml) de pouding au riz (page 111)

12. 1 gros épi de maïs avec 1 c. à thé (5 ml) de beurre ou de margarine

13. 1 petite pomme de terre au four recouverte de 1 c. à soupe (15 ml) de crème sure légère

14. 1 pomme au four (page 147) accompagnée de $^1/_2$ oz (15 g) de fromage

15. 4 craquelins avec 2 grosses sardines

16. $^1/_2$ boîte de soupe aux tomates préparée avec du lait écrémé ou 1 % avec 2 craquelins (biscuits soda)

17. 1 tranche de pain recouverte de 1 oz (30 g) de fromage et d'asperges

18. 1 biscuit de blé filamenté avec $^1/_2$ petite banane et $^1/_2$ tasse (125 ml) de lait écrémé ou 1 %

19. ½ bagel recouvert de 2 c. à soupe (30 ml) de fromage à la crème léger

20. noix mélangées comme sur la photo

21. 16 croustilles de tortillas cuites, non frites avec 2 c. à soupe (30 ml) de hoummos ou de salsa

22. sandwich au jambon de 1 oz (30 g) de jambon (sans margarine), moutarde et laitue

23. 1 œuf et 1 rôtie recouverte de 1 c. à thé (5 ml) de margarine ou de 1 c. à thé (5 ml) de confiture

24. 1 oz (30 g) de fromage et morceaux de fruits

## Fruits

25. 2 fruits (une petite pomme et une poire, par exemple)

## Collations occasionnelles

26. 1 beignet

27. bâtonnets au fromage (environ 25)

28. croustilles (environ 18)

29. 1 tablette de chocolat de 40 grammes

# Index

# Pour en savoir plus
## sur les recettes du livre :

Nous avons préparé un Guide *La santé au menu* dans lequel
vous retrouverez :

- la teneur en énergie ;
- le contenu en nutriments (protéines, glucides, matières
  grasses) ;
- les échanges d'aliments de l'Association Diabète
  Québec contenus dans chaque repas, recette et
  collation de cet ouvrage.

Que vous soyez professionnel de la santé, éducateur ou tout
simplement une personne désireuse d'approfondir ses
connaissances en matière d'alimentation, consultez notre site
Web pour lire ou télécharger le document, à l'adresse suivante :

www.diabete.qc.ca

Association Diabète Québec

Fondée en 1954, l'Association Diabète Québec (ADQ) a pour
mission d'informer et de sensibiliser la population au sujet du
diabète. Pour ce faire, nous assurons des services variés tels
que des sessions de formation et des tournées d'information,
et nous offrons différentes publications. De plus, l'ADQ
travaille à défendre les intérêts socio-économiques des
personnes diabétiques. Enfin, la promotion et le soutien de la
recherche demeurent l'un des volets importants de sa mission.

Pour nous joindre :

5635, rue Sherbrooke Est
Montréal (Québec) H1N 1A2
Tél. : (514) 259-3422
Sans frais : 1 866 DIABETE
Téléc. : (514) 259-9286
Courriel : info@diabete.qc.ca